I Narratori / Feltrinelli

GIANNI CELATI
FATA MORGANA

Feltrinelli

© Giangiacomo Feltrinelli Editore Milano
Prima edizione ne "I Narratori" febbraio 2005

ISBN 88-07-01668-0

Notizia

Scritto nel 1986-87, a Noron l'Abbaye, in Normandia, è un resoconto sul popolo dei Gamuna ricostituito molti anni dopo con tutti i suoi pezzi sparsi. Dedicato a Joël Masson, in ricordo delle nostre lunghe camminate per le campagne.

NOVEMBRE-DICEMBRE
ARRIVO NEL PAESE DEI GAMUNA

1. *Il territorio*

A quattrocento chilometri dal mare verso nord est, un massiccio basaltico chiude il territorio dei Gamuna alle influenze delle popolazioni costiere, mentre sul versante opposto un vasto deserto sabbioso lo separa dalle strade che portano alle città dell'interno. Questo deserto non è attraversabile con normali mezzi di trasporto perché formato da placche d'argilla piene di crepe, che appena piove possono trasformarsi in grandi pantani come quelli che gli arabi chiamano wadi, e pericolosi come i wadi in primavera. È un'immensa pianura dove i Gamuna non si inoltrano mai, anche se dicono che i loro antenati sono venuti di là, in un tempo non molto lontano. Le grandi sinclinali che scendono dal massiccio basaltico si arrestano a una settantina di chilometri a nord del loro territorio, dove corsi d'acqua con itinerari variabili si disperdono in paludi e falde sotterranee, fino agli ultimi lembi della brughiera che delimita il deserto sabbioso. I Gamuna si spingono nella brughiera per andare a caccia, per raccogliere semi di eftla e noci di trepeu, o per portare al pascolo le pecore. Ma raramente trovano il coraggio di arrampicarsi anche sulle più basse propaggini del massiccio basaltico, perché sono presi da conturbanti vertigini anche a contemplare il mondo dall'alto d'una collina. Nessun popolo teme le altitudini come loro. Da quelle parti spesso si può vedere un pastore o un cacciatore che vacilla su un costone, poi si butta a terra spaurito per non guardare in basso. La vertigine dell'altezza sembra loro un segno certissimo che tutto quanto sta in basso sia un unico e continuo fenomeno di fata morgana, e che ogni immagine di vita sulla terra non sia altro che un miraggio del genere. Loro lo chiamano "la grande allucinazione del mondo" (*teru-u ta*).

2. La via dell'Onianti

Il capoluogo gamuna resta del tutto isolato in mezzo al deserto, inaccessibile per mancanza di linee di comunicazione con le città dell'interno. Rare le escursioni turistiche in aereo, rari i viaggiatori che si spingano in quell'arida frangia savanicola, rarissimi gli uomini politici che abbiano voglia d'entrare in contatto con quella misera popolazione desertana. Altrettanto difficile è l'accesso dal versante opposto, perché bisogna raggiungere il massiccio basaltico con scardinate corriere che fanno servizio su piste molto incerte, dove c'è sempre una guerra in corso. Dovunque si vedono cortei di gente con sacchi e masserizie che cerca di sfuggire alle soldataglie d'un dittatore orbo, dal nome imprecisato o incomprensibile. Molti si arrampicano sugli acrocori delle zone orientali, altri si avviano su per le pieghe del massiccio basaltico cercando salvezza in quella direzione. Le soldataglie del dittatore orbo danno la caccia ai transfughi e spesso li inseguono con gli elicotteri, soltanto per il gusto di sterminare qualcuno. Questa è la rischiosa via dell'Onianti, una pianura con piste di sabbia tra gli arbusti, rari alberi lontani, posti di blocco e processioni di gente che cerca di salvarsi. Ed è l'itinerario seguito dal noto viaggiatore Victor Astafali, mio vecchio compagno di studi, di cui conservo lettere e taccuini di viaggio. Assieme al fedele servitore Sempaté, Astafali ha raggiunto il massiccio in corriera, poi l'ha attraversato a piedi con dieci giorni di marcia, guidato da un gruppo di fuggiaschi dell'Onianti. Nella brughiera ha incontrato un vecchio cacciatore di nome Wanghi Wanghi, e l'ha subito reclutato come suo informatore, perché sapeva parlare in inglese ed era uno strabico che ispirava rispetto agli indigeni. Dopo altri cinque giorni di marcia il loro gruppo ha raggiunto il capoluogo gamuna, chiamato dai forestieri Gamuna Valley. Astafali s'è installato in un albergo in abbandono, con il fedele Sempaté e Wanghi Wanghi. Di qui iniziano le sue annotazioni sul luogo, sui costumi, sulla lingua gamuna, sui suoi incontri e i suoi amori.

3. Ricordo di Victor Astafali

Victor Astafali! Ci siamo conosciuti all'epoca dei nostri vent'anni; io ero un provinciale sbarcato a Cambridge per studiare i poeti inglesi, lui il discendente d'una famiglia di commercianti levantini del Cairo, che sapeva molte lingue e si muoveva dovunque come per le strade di casa sua. Non mi ricordo come ho trovato la camera che poi condividevamo, ma ricordo come lo trovavo raffinato rispetto a me. Sempre gentile, composto nei gesti, a Cambridge spiccava per la sua rara eleganza, nei vestiti di taglio europeo specialmente accurato. Studiava antropologia, ma conosceva bene anche la musica e aveva portato con sé una viola classica, su cui si esercitava ogni giorno. Con il bel tempo camminavamo a volte fino all'alba, discutendo di poesia, musica, costumi sociali, filosofia, amori e desideri. Andando in giro incontravamo sempre gente interessante e parlavamo con tutti: era così facile parlare a quei tempi! E mi piaceva incontrare ogni giorno qualcuno di nuovo. Astafali aveva studiato in un collegio francese del Cairo, parlava soprattutto in francese e mi recitava poesie in arabo. Dopo quell'epoca siamo rimasti sempre in contatto, l'ho seguito nei suoi viaggi attraverso lettere e foto che mi spediva, fino al suo viaggio nel paese sconosciuto dei Gamuna. Così è passato il nostro tempo. Ora sono qui a scrivere di lui; ogni mattina mi siedo al tavolo, rileggo i suoi taccuini e riordino questi appunti.

4. *Il capoluogo gamuna*

La cittadina che costituisce l'attuale capoluogo gamuna è stata abitata da un'altra popolazione di cui si sono perse le tracce. Dove ora si vede una piccola stazione ferroviaria, quasi in mezzo alle dune di sabbia, un giorno migliaia di persone debbono essersi affollate per prendere un treno verso una destinazione a noi ignota. Non si conoscono i motivi del loro esodo; ma la cosa più strana è che quegli abitanti sono partiti abbandonando dietro di sé ricche case, automobili, uffici e banche, stazioni radio, biblioteche, impianti d'irrigazione, giardini pieni di fiori e piante, oltre a migliaia e migliaia di tavole a olio con i loro ritratti. Gli attuali abitanti di Gamuna Valley si sono installati nelle loro case, coltivano i loro giardini, non guidano le loro automobili, ma si vestono ancora con gli abiti trovati nei loro armadi. Per le strade si vedono uomini e donne con tute da ginnastica, giacche da safari, magliette con scritte in inglese, camicie sportive e calzoni multitasche, divise da funzionari o abiti da sera. Soprattutto al tramonto, sull'avenue centrale, c'è questo sciamare d'individui che sembrano gloriarsi dei loro completi da cerimonia o abiti da lavoro, dei cappelli a cilindro o delle loro pagliette, giacche a coda di rondine o vestiti di lamé, senza che nessuno mostri di notare differenze tra i vari stili d'abbigliamento. Ma la cosa che colpisce ancora di più è vedere tanti palazzi in completo abbandono, grandi cartelloni pubblicitari che resistono alle intemperie, scritte in varie lingue che parlano di crociere di lusso, ristoranti o prodotti di consumo di cui si è persa memoria. Su un sentiero che va nella brughiera, un cartello reclamizza viaggi in Oriente, con il disegno d'una Sfinge, una palma, e la scritta sbiadita VISITEZ L'EGYPTE.

5. *Fisionomia dei maschi adulti*

Tendenzialmente filiformi, testa ovale, sguardo tremolante che diventa ancora più tremolante in presenza di forestieri, i maschi portano dei cappellucci tutti schiacciati sul cuzzolo, che si direbbero l'ultimo residuo d'un loro antico costume nazionale. Spesso camminano per strada in modo particolarmente ondoso, facendo perno sui talloni per ritrovare la dritta via. Il loro stile di camminata fa pensare ai forestieri che tutti i Gamuna abbiano i piedi piatti; invece è il loro modo di ritrovare un equilibrio nel corpo, dopo lo sbandamento d'ogni passo e d'ogni momento della vita. Ma sia il passo, sia il corpo filiforme che lo sguardo tremolante, sono soprattutto caratteristiche dei maschi adulti – perché più un maschio va avanti con l'età, più diventa spaurito dalla vita, e per strada sbanda più facilmente. I bambini camminano con un altro passo, non mostrano timore per gli stranieri e per nessun altro; scorrazzano per le strade in piccole bande delinquenziali, e guardano tutti in modo truce, come piccoli selvaggi pronti al massacro di altre tribù.

6. *Gli "sguardi di civetta losca"*

Le donne sono per lo più carnose, con voluminosi seni di cui si mostrano fiere; e sanno tenere a bada avventurieri o altri stranieri di passaggio lanciando sguardi arditi e misteriosissimi. Ci sono sguardi mattutini e pomeridiani di donne gamuna che metterebbero in imbarazzo chiunque; perché paiono apertamente voluttuosi, ma al tempo stesso fanno insorgere nei maschi un forte sospetto d'essere attirati in un tranello per venire poi svaligiati, massacrati, castrati. Gli uomini chiamano quelle occhiate "sguardi di civetta losca", e le temono come portatrici di un'allucinazione con frenesie che possono rompere il debole filo dell'esistenza. I rari visitatori delle città dell'interno rimangono sulle prime eccitati da quegli sguardi femminili, ma poi sono colti da un grave imbarazzo che scombussola tutte le loro idee turistiche e curiosità erotiche. Spesso le mogli turiste debbono tirare via di forza i mariti, essendo prese dai fumi della gelosia. Allora i mariti gettano per terra qualche dollaro come pagamento dello spettacolo, e scantonano in un'altra strada ansimando, come se pensassero: "Cos'è questo rischio a cui mi espongo? Cos'è questo pericolo riflesso in un'occhiata di donna? Non è questo che mi aspettavo da un popolo ottuso e sottomesso come i Gamuna!". Nei primi tempi anche Astafali è rimasto più volte colpito da quelle occhiate di "civetta losca"; e dopo sorgeva in lui la frenesia di toccare tutte le donne, assieme al sospetto che una donna l'avesse guardato solo per attirarlo in un tranello, e umiliarlo, forse castrarlo.

7. Una città in abbandono

Mantengono puliti i pozzi perché hanno bisogno dell'acqua. Coltivano i giardini che hanno trasformato in orti, dove fanno crescere un radicchio locale molto saporito, e orzo, mais, patate e fagioli. Tengono ben pulite le case, combattendo continuamente con la polvere del deserto che entra dalle finestre aperte, poiché non amano chiudere porte né finestre. Tra gli avanzi del passato, la cosa che più li attira e li rende anche litigiosi sono quei ritratti a olio dei precedenti abitatori, che si rubano l'un con l'altro, come se fossero feticci che danno lustro a chi li possiede. Invece non sanno cosa farsene di impianti radio, di generatori di corrente, di apparecchi telefonici: oggetti sorprendenti, ma non diversi da un sasso o da una duna di sabbia, o dagli arbusti che sorgono nella brughiera. Delle automobili abbandonate si servono per i sonnellini pomeridiani, lasciandole peraltro decadere come tutto il resto. Le case crollano, i muri si screpolano, ma loro non restaurano mai niente, non tolgono di mezzo i calcinacci che hanno invaso una scala d'ingresso, e lasciano penzolare gli infissi che si sono staccati dal telaio delle finestre. Astafali scrive che tanta incuria non va addebitata a una supposta poltroneria dei Gamuna, come si dice spesso nelle città dell'interno. Il motivo è un altro. Se loro lasciano decadere tutto, ciò dipende dal fatto che non amano cambiare nulla negli stati di cose che trovano, salvo esserne costretti. In realtà sono resi malinconici dai cambiamenti o miglioramenti di qualsiasi tipo, e perfino la riparazione d'un impianto elettrico sarebbe sentita da loro come una specie di errore, a cui però certe volte bisogna rassegnarsi.

8. *Gli avventurieri nevrastenici*

Nel centro di Gamuna Valley ci sono almeno dieci bar sempre affollati, e qui capita di incontrare avventurieri di passaggio, con cappelli a larga tesa e pistole in cintura. Avventurieri di tutte le razze arrivano da quelle parti in elicottero, e tutti disprezzano i Gamuna in modo solenne. Per dimostrarlo tengono le ciglia in leggera vibrazione, portano al collo foulard vistosi, e camminano movendo le spalle in modo marziale e impressionante. È soprattutto quel loro modo di camminare che spaventa i maschi gamuna, i quali quando li incrociano cominciano subito a sbandare cercando un androne dove nascondersi. Nei primi tempi, gli avventurieri soffrono spesso di crisi amorose per una donna vista per strada, e sembrano impazziti di desideri, dubbi e gelosie; ma appena superano la crisi, cominciano a detestare tutto quello che vedono, a trovare tutto sporco e puzzolente, a schifarsi per lo squallore e la desolazione del posto. Questi stati di perturbamento vanno assieme al pensiero della disgrazia d'essere venuti al mondo, pensiero che non riescono a sopportare neanche per un attimo. Dunque, per liberarsene, loro vorrebbero sparare a tutti quelli che incontrano – cosa che in passato hanno fatto spesso, a volte mitragliando centinaia di Gamuna dai loro elicotteri. Tutto ciò per sfogarsi e maledire la noia di quella misera cittadina, affollata di facce indolenti che fanno venire il nervoso, e di donne che sembrano guardarti da una massima distanza, per affascinarti e poi attirarti in un tranello.

9. Malattie per turisti

Ogni tanto qualche gruppo di turisti arriva nella cittadina, si stupisce di non trovare delle capanne primitive, poi risale sul grande elicottero diretto alle spiagge del sud, dove sorgono i grandi centri di vacanza. L'afflusso dei turisti è scarsissimo e occasionale, con una sosta di poche ore e via; perché non esistono alberghi in stato decente dove alloggiarli, e anche perché dopo qualche ora a Gamuna Valley qualsiasi forestiero non abituato all'ambiente cade in una crisi di desolazione acuta. Quel senso di desolazione con pensieri tristissimi, che anche gli avventurieri avvertono, produce nei turisti una ripugnanza che di solito prende a manifestarsi dopo tre o quattro ore di soggiorno. Se il visitatore non è per niente addestrato a sopportare le malinconie, dopo sei o sette ore la sua ripugnanza può trasformarsi in uno stato di malattia mentale detto "dementia viatoris". Si tratta chiaramente di allucinazioni del deserto, ma con sintomi che fanno pensare a un rallentamento del metabolismo basale: palpebre che stentano a sollevarsi, senso di depressione al petto, emicrania e conati di vomito, assieme a una noia vertiginosa che spande un'aria di inutilità su tutte le cose dove si posano gli occhi.

10. *Venditori di canzonette*

Lo squallore generale del luogo non si avverte tanto nel centro cittadino, dove il brulicare della folla crea un certo colore locale. Il senso di desolazione si percepisce soprattutto nelle stradine secondarie, con negozietti bui e malridotti, pieni di calcinacci e spazzatura. Dentro quei negozietti si vedono degli ossuti commercianti intenti a contare stancamente le loro noci di trepeu, che là sono usate come banconote di grosso taglio. La loro grettezza è evidente a colpo d'occhio, anche se non si capisce mai cosa pensino. In mezzo ai calcinacci tra cui vivono, si trovano derrate alimentari spesso andate a male, vecchissimi scampoli di tessuti, inutili pezzi di ricambio per macchine di vario tipo, e cumuli di pile e batterie negli angoli oscuri. Qui si possono acquistare anche canzoni, che il negoziante canta e il cliente deve tenere a mente; ma di solito è facile tenerle a mente, trattandosi di canzoni vecchissime, divenute noiose a forza di cantarle. Sono soprattutto i giovanotti in amore che le comprano, per qualche foglia di kuber, che vale al massimo un centesimo di dollaro. Le pile e le batterie per auto sono un genere di lusso, che pochi possono permettersi (a parte il fatto che non servono a niente); ma le canzoni sono alla portata di tutti, e dopo averne acquistata una di solito il giovane esce cantandola a voce spiegata. Il negoziante accorre sulla porta per correggere qualche stonatura; ma il giovane non lo ascolta e rifà la canzone a suo modo, mentre va in giro cantandola per la città. Tutti sanno a cosa prelude quel canto. Si tratta del fatto che il giovanotto ha in mente di sposarsi, e si esercita a pronunciare frasi da dire alla futura sposa, contenute nella

17

sua canzone fuori moda. "Quando sarà sposato non canterà più, pigolerà soltanto," dicono i Gamuna. Ma vedere un giovanotto eccitato da una vecchia canzone comprata in quei negozietti, mentre la canta come se fosse la grande novità del giorno, dà l'idea esatta d'una vita di squallore, verso cui ogni giovane corre sbadatamente, ma anche con un certo trasporto, bisogna dire.

11. *Litanie del mattino*

Nelle stradine secondarie al mattino si sente il suono degli artigiani che lavorano brontolando. Brontolare durante il lavoro è quasi obbligatorio per un artigiano gamuna. Falegnami, vasai, sarti, commercianti di semi di eftla e venditori di bevande, fanno il loro mestiere elevando una continua cantilena scorbutica, che però non è spiacevole se udita di lontano. Lavorando emettono gemiti per la tristezza di dover lavorare, in quanto il lavoro è un grandissimo errore, da cui però non c'è scampo. In ogni caso, è un atto contrario ai principi del cosiddetto Essere del Largo Riposo, che gli adulti venerano più d'ogni altra cosa. Il modo di brontolare degli artigiani è molto particolare: prima maledicono quello che li ha costretti a lavorare, poi maledicono se stessi per essersi sottomessi alla costrizione, poi maledicono la propria bocca per aver maledetto qualcosa, infine ridono in modo sguaiato per indicare il pentimento della bocca che maledice. Soprattutto al mattino presto, simili litanie si odono dovunque come un canto ininterrotto e abbastanza rasserenante. Anche rasserenante è vedere certe donne che passano davanti alle finestre degli artigiani, scuotendo i fianchi e il seno per eccitare il loro desiderio. Ma appena gli artigiani accorrono sulla porta, le donne se ne vanno canticchiando canzonette che deridono la sciocca erezione della verga maschile, con passo mattutino agile e slanciato, meraviglioso a vedersi.

GENNAIO
VITA D'OGNI GIORNO A GAMUNA VALLEY

1. *A Noron l'Abbaye*

Noron l'Abbaye, dove abito, è un borgo campagnolo di poche case, a sette chilometri dalla cittadina di Falaise, in Normandia. È isolato tra campi e pascoli, vicino allo stradone provinciale che porta verso i pendii del massiccio armoricano, nelle zone chiamate Bocage. Da quando vivo qui, passo molto tempo a guardare dalla finestra le pecore e le vacche nei prati, gli alberi intirizziti, e spesso i falchetti allineati sui fili dell'elettricità. Tutto sa di abitudini che si ripetono senza varianti: dai camion che passano sullo stradone, alle pecore che mi guardano dal prato, al signor Poussard che alle otto va al lavoro, perfino al tipo di nuvole all'orizzonte. Tutto addormentato in aspetti di vita particolari, come le case di questo borgo, in pietra nuda con spioventi d'ardesia e di lato una specie di torretta campanaria. Adesso nella stanza dove scrivo fa freddo, c'è luce soltanto dalle nove del mattino alle tre del pomeriggio. Piove tutti i giorni, le campagne sono grigie, e nei prati le vacche si tengono ammassate al riparo di qualche albero. Al mattino mi sveglio sentendo il vento che s'ingolfa nel camino, e mi vengono strani sussulti; altre volte è la fame, la stanchezza, il sonno o il buio a sorprendermi. Verso le otto, là per la strada vuota in mezzo ai campi, arriva in motorino la servetta dei signori Poussard; io la saluto dalla finestra, poi rimango da solo tutto il giorno a scrivere. Studiando le note di Astafali cerco di avere visioni di Gamuna Valley, ma le visioni sono poche, le parole scarse. Al pomeriggio esco a camminare per sentieri pieni di fango.

2. *Veduta di Gamuna Valley*

Città di viali alberati che si incrociano con simmetrie ortogonali, piena di cani che vagano in libertà e si danno convegno sulla soglia d'un lussuoso albergo in rovina. I ragni tessono le loro ragnatele indisturbati; una specie di cornacchie locali fa il nido nelle grondaie; pecore e vacche soggiornano nell'ombra degli androni borghesi. Dal giorno in cui i primi esploratori gamuna sono giunti nella cittadina, trovandola completamente spopolata, niente forse è cambiato se non per effetto del tempo e delle intemperie. Le case di anno in anno allargano le loro crepe, le erbe e le piante invadono il selciato, le automobili abbandonate nelle vie perdono i pezzi, dovunque compaiono sempre più macerie. Sulle macerie o sui tetti sorgono alberi di fichi, arbusti d'erba del paradiso, grossi tronchi di leguminose, sormontando poco a poco tutta la città con varia vegetazione che un giorno sarà una foresta pensile. Astafali racconta d'un grande tamarindo spuntato nel salone centrale d'una banca, che con le sue foglie pennate copre tutti gli sportelli bancari; i suoi frutti curvi e iridescenti hanno riempito il pavimento fino al colonnato in stile coloniale. Gli abitanti lo lasciano crescere, andando ogni tanto in banca a raccogliere i suoi semi, da cui estraggono un succo per bibite dolci e medicinali. Le diverse casseforti sono avvolte da rami di catalpa; una grande pianta di ailanto invade la sala del consiglio d'amministrazione, e una specie di ontano locale copre la porta blindata con le sue stìpole vischiose.

3. Prospettive di modernizzazione del luogo

Benché gli avventurieri amino mettere gli occhi sulle donne gamuna e anche violentarle se possono, e sebbene facciano ottimi affari con i loro mariti, non riescono a sopportare la cittadina e i suoi abitanti per più d'una giornata. Perciò mettono spesso mano alla pistola con l'idea di sparare a qualcuno, per sfogare il loro malumore di uomini civilizzati. Ma quasi sempre sparano in aria, e dopo li vedi camminare torvi per le strade, digrignando i denti, con giramenti d'occhi che fanno spavento. Ogni tanto hanno accessi di nervosismo più forti del solito, e devono sparare a un cane o un uccello; ma bisogna dire che negli ultimi tempi hanno imparato a non compiere più massacri di massa. Le cose sono un po' cambiate e si notano segni di progresso nella zona. Molti commerci sono bene avviati, qualche maschio meno inetto degli altri lavora per gruppi di avventurieri; qualcuno ha imparato a masticare un poco la lingua inglese; le donne gamuna sono eleganti, a volte compiacenti; ma soprattutto si sono aperte prospettive per lo sfruttamento di giacimenti d'amianto nella zona. Gli avventurieri vanno in giro muovendo le spalle in modo impressionante; masticano una radice simile al betel per attenuare il disgusto di trovarsi in un posto del genere; ma le previsioni di guadagno sono buone e potrebbero portare a una rapida modernizzazione del luogo; e questo li riporta ogni mese a Gamuna Valley.

4. Nuovi commerci molto redditizi

Nella cittadina circola un po' di denaro contante in valuta delle città dell'interno; circola soprattutto nei bar del centro cittadino, che avventurieri belgi e tailandesi hanno dato in gestione a pochi indigeni affidabili, e dove si smerciano notevoli quantità di whisky, di birre e di sigarette

Marlboro. Sono cose mai viste da quelle parti e che attirano molto i mariti in vena di ciondolare fuori dalla famiglia, magari indebitandosi pur di inebriarsi di alcol e di fumo (succede sempre più spesso). Chi vuole andare al bar dovrà procurarsi denaro contante, e per questo due avventurieri canadesi hanno aperto un'agenzia di cambio sulla via centrale, dove accettano noci di trepeu in cambio di dollari. Un affarista di Bombay ha aperto un piccolo supermercato in una rimessa ai margini della brughiera; e alle donne gamuna piace molto fare la spesa in quel posto arioso, dove si ritrovano a chiacchierare, acquistando scatolame per pranzo e cena. Ma il maggior contributo alla modernizzazione del luogo è senz'altro l'iniziativa di un gruppo di avventurieri tedeschi e americani, che hanno aperto un tipo di commercio molto redditizio con le grandi città dell'interno. Qui essi importano giovani gamuna da vendere al mercato come servi o come prostitute; e i giovani catturati, che certe agenzie esportano anche nelle grandi città d'Europa e d'America, riescono molto bene in quelle professioni. Come servi o aiuto-giardinieri i maschi, prostitute o porno-modelle le femmine, rivelano specialissime doti: non si abbattono mai per lo stato di schiavitù in cui sono tenuti, non si lamentano quando vengono picchiati, mangiano poco e lavorano molto. E può anche accadere che qualche padrone con un buon livello culturale li trovi simpatici, nonostante la loro tradizionale ottusità.

5. *Astafali visita una scuola*

Poco dopo l'arrivo Victor Astafali ha avuto occasione di assistere a un rito funebre. È stato il vecchio Wanghi Wanghi a trascinarlo in quel posto, impartendogli una lezione sulle pratiche funerarie e altri costumi locali. In un pomeriggio primaverile ha guidato Astafali e Sempaté per stradine alberate che somigliano a quelle d'un suburb inglese: villette con il prato davanti, macchine abbandonate da anni lungo il marciapiede, e in capo alla strada una scuola tutta a vetri con tettoia crollante. Nella scuola si vedevano delle carte geografiche ancora alle pareti, nelle aule c'erano ancora vecchi banchi e la cattedra dell'insegnante. Gli abitanti della cittadina svolgono i loro riti funebri nelle scuole sparse in vari quartieri, e depongono il morto su una cattedra, lasciandolo lì fin quando comincia a decomporsi. Allora di solito arrivano molte mosche e zanzare attirate dall'odore nauseabondo; e questo vuol dire che l'anima del morto ha raggiunto gli antenati, in quanto le zanzare sono gli antenati dei Gamuna, secondo una credenza legata a vecchie mitologie popolari.

6. *Come si svolge il rito funebre*

Arrivati alla scuola, in un'aula hanno visto il morto sulla cattedra e i maschi adulti del suo gruppo familiare seduti nei banchi. Erano seduti nei banchi come scolari che ripassino una lezione, e tutti recitavano litanie di nomi degli antenati. Ma quelli nelle prime file, con l'aria da scolari più bravi e più studiosi, correggevano spesso le litanie degli altri. Allora gli altri reagivano, e scoppiavano litigi, volavano insulti e minacce. I più minacciosi erano quelli con l'aria da scolari asini o ripetenti, meno filiformi e più selvatici, che si alzavano dal banco con pugni chiusi per darli in faccia ai secchioni. A un certo punto è entrato nell'aula un anziano con una bacchetta in pugno, che sembrava un ispettore scolastico, e tutti si sono ammutoliti. L'anziano è rimasto a scrutarli per qualche secondo, poi ha indicato con la bacchetta uno in prima fila, il quale sembrava più pronto degli altri all'interrogazione. Era un tipo molto miope, più filiforme di tutti, tipo intellettuale, che s'è alzato in piedi e ha recitato la litania dei nomi degli antenati. L'anziano ha fatto un cenno come dire: "Bravo". Voleva dire che la sua litania andava presa quale genealogia ufficiale del gruppo o clan del morto.

7. *Le genealogie degli antenati*

In occasione d'un funerale i Gamuna rivedono le genealogie dei loro antenati, introducendovi nomi mai sentiti, o inventandone di nuovi, ma spacciandoli per nomi di capostipiti dei clan d'origine. Se nella recita uno riesce a piazzare i suoi nomi in cima alla linea genealogica, che si tratti di nomi noti, mai sentiti o chiaramente inventati, entrano comunque a far parte del gruppo degli antenati fondatori. La cosa importante non è dire il vero, ma essere convincenti nella recita. Uno che si chiami, poniamo, Wanghi o Donghi, ci terrà molto che un antenato di nome Wanghi o Donghi compaia il più vicino possibile ai mitici antenati venuti dal deserto. Se ci riesce, poi pagherà un raccontatore di storie affinché vada per le case a narrare quella mitica linea genealogica. Il nome conferisce al discendente o falso discendente un certo lustro all'interno del parentame e anche altrove; tanto che lui dopo s'inorgoglisce e va in giro a parlare sempre dei suoi antenati, chiaramente allucinato.

8. *Altri aspetti del rito funebre*

La prima fase del rito funebre consiste nella recita delle genealogie degli antenati, ed è l'occasione per farsi avanti e rivendicare un'ascendenza di prestigio. Risolto questo problema, si passa alla seconda fase, che consiste in una festa all'aperto in un punto da cui si veda il deserto verso sud ovest. Di laggiù sarebbero venuti gli antenati fondatori, sorti come dal nulla all'orizzonte dietro quelle dune lontane, là dove il mondo è cosparso d'ossa e di crani che formano appunto il

24

cosiddetto "Sentiero degli antenati". Astafali dice che la festa funebre a cui ha assistito si svolgeva attorno a grandi fuochi, appena fuori dal vecchio perimetro della città. A questa parte del rito erano ammesse anche le donne, e tutti mangiavano polpette con l'effetto inebriante d'una droga leggera, che provocava sorrisi in onore del morto. I maschi guardavano le donne facendo commenti salaci a mezza voce; mentre le donne scuotevano il seno, canticchiando una canzone che deride la sciocca erezione della verga maschile. Pare che questi scambi scherzosi siano tutto ciò che rimane d'un rito arcaico, durante il quale uomini e donne si schieravano in due file e ognuno sceglieva un partner diverso dal marito o dalla moglie con cui copulare in onore del morto. Invece ora, dopo qualche battuta i maschi si immalinconiscono, e assumono il tipico sguardo serale dell'uomo rassegnato alla dura vita dell'adulto. Nella scena cui ha assistito Astafali, con le prime luci del tramonto tutti si sono accucciati per terra, chiaccherando a bassa voce con la loro lentissima parlata serale. Man mano che scendeva il buio le parole si facevano più rare; finché sono rimasti in silenzio, con lo sguardo rivolto al deserto verso sud ovest, da dove si dice siano venuti gli antenati fondatori.

9. I nomi come allucinazioni comuni

La popolazione di Gamuna Valley deve essere l'erede d'un gruppo di dispersi durante una migrazione, che aveva perduto contatto con le tribù d'origine. Quei dispersi forse hanno vagato nelle zone del sud ovest, scacciati e bastonati da altre tribù, finché hanno dimenticato tutto del loro passato. Dei nomi degli antenati, dei miti e tradizioni ancestrali, sono rimaste confuse memorie che nessuno riesce più a distinguere dalle invenzioni e falsificazioni correnti. Per questo i Gamuna fissano la loro origine dal momento in cui gli antenati fondatori sarebbero spuntati da dietro una duna di sabbia. Secondo Wanghi sarebbero sorti da un tremolio nell'aria, così come sorgono i miraggi di fata morgana. I loro veri nomi? E chi se li ricorda? Si dice che li guidasse un certo Pachi, un certo Tichi, un certo Fonghi, o un certo Monghi, secondo le falsificazioni genealogiche del momento. Ma anche quello è un miraggio del deserto: è il comunissimo miraggio dei nomi, è la noiosa illusione dell'identità, che sono altre allucinazioni molto diffuse, dice lo strabico Wanghi Wanghi.

10. *Un santuario*

Appena fuori da Gamuna Valley, su un sentiero che porta alla brughiera, vicino alla vecchia stazioncina ferroviaria, sorge un piccolo altare alquanto rozzo, fatto di vinco e cannella palustre. È il santuario dedicato all'Essere del Largo Respiro, a cui i devoti portano doni per non restare troppo ingannati dai miraggi del deserto. Ci sono ciotole di cibo ammuffito, collane di perline, biglietti da un dollaro spesi da qualche turista, e foto che non si sa chi rappresentino. Tutt'intorno sciami di zanzare e mosche creano una nube che fa tremolare l'aria, soprattutto a causa del cibo andato a male e dei miasmi lungo il sentiero che porta all'altare. Su quel sentiero spuntano molti escrementi, perché gli abitanti lo usano per andarsi a scaricare gli intestini al mattino; e lì si rischia sempre di scivolare in una pozza d'urina o in una cunetta di fango misto a escrementi ancora fumanti. Ma ciò non sembra irriguardoso ai Gamuna, perché il santuario serve a ricordare l'incanto greve della terra che trascina tutto verso il basso: il corpo, i pensieri, gli escrementi. E quando l'Essere del Largo Respiro si manifesta, lo fa con un colpo di vento che spazza via tutti i miasmi nell'iridescenza dell'aria, comprese le pigre mosche e le zanzare, che sarebbero le anime dei morti.

11. La "scintilla d'iridescenza"

Astafali ha chiesto al suo informatore Wanghi Wanghi spiegazioni sull'Essere del Largo Respiro venerato in quel santuario. Il vecchio Wanghi ha detto che l'Essere del Largo Respiro è l'iridescenza da cui sarebbe nata la vita sulla terra, destinata a durare soltanto per un attimo in cui i raggi del sole fanno brillare qualche granello di polvere vagante nell'aria. A ciò va aggiunto che quel santuario è il punto d'arrivo d'ogni cerimonia di iniziazione dei giovani maschi. All'età di dodici o tredici anni, i ragazzi sono condotti nella brughiera, sottoposti ad estenuanti digiuni, istruiti sui segreti della vita adulta, e infine trascinati per i capelli e costretti a sprofondare con la faccia negli escrementi di quel sentiero, mentre gli anziani ripetono noiosamente la formula: "Tu sei questo, tu sei questo, tu sei questo" (*ta gama ku*).

12. All'Hôtel Sémiramis

Su suggerimento di Wanghi, Astafali aveva preso alloggio in un grande albergo del centro, abbandonato e in rovina, con insegna crollante dove si leggeva HÔTEL SÉMIRAMIS. Saloni ariosi con vetrate al pianoterra, scaloni che seguono grandi curve su tre piani, stucchi floreali dovunque, e al secondo piano una spaziosa suite detta "imperiale". Astafali si è installato nella suite, assieme al fedele Sempaté, ma soltanto dopo una cerimonia magica di Wanghi per scacciare scorpioni e lucertole che avevano preso possesso delle stanze. L'altra difficoltà da affrontare è stata la mancanza d'acqua corrente nell'albergo, dove tutte le tubature erano marcite, mentre i vecchi impianti idrici della città erano tutti intasati e sepolti dagli eterni sfasciumi del tempo. Anche il pozzo nel giardino dell'albergo non era più in funzione, invaso da macerie di lunga data, e si trattava di scavarlo di nuovo e riattivarlo. Secondo Wanghi, questi lavori potevano essere affidati a un gruppo di indigeni che aveva reclutato; ma dopo un paio di settimane il pozzo non era ancora stato riattivato, e i nostri viaggiatori dovevano bere e lavarsi e cuocere il cibo con acqua minerale che andavano a comprare nel supermercato sul sentiero vicino alla brughiera. Dopo alcune inutili sfuriate, Astafali ha pensato bene di prendere le pose degli avventurieri, muovendo anche lui le spalle in modo impressionante e minacciando gli indigeni con una pistola in mano. Così il pozzo del giardino è stato riattivato.

13. L'incontro con la sorella Tran

Uno dei primi incontri fatti da Astafali è stato quello con la sorella Tran. La descrive così: "Suora missionaria vietnamita, sui trent'anni, piccola, faccia tonda, lo sguardo affascinante che hanno spesso i miopi, vestita d'un saio monastico con una benda bianca sulla fronte. Abita qui da qualche anno, sta in un albergo in abbandono fuori dalla cittadina, e cura gli indigeni con erbe e decotti, a volte con rimedi magici". Nei diari della sorella Tran non ci sono accenni ad Astafali, ma si trovano frequenti annotazioni sui miraggi del deserto, e sulle cure per alleviare le frenesie allucinatorie che spesso producono. Sono diari scritti con inchiostro turchino, calligrafia rotonda; cinque quaderni rilegati con dorso di tela rossa, da cui ho avuto modo di copiare molti brani. Mentre scrivo rivedo la nostra sorella Tran com'era; la rivedo molto giovane, come me la sono spesso immaginata (ma io non ho mai saputo come sia capitata da quelle parti, suora missionaria, figlia d'un diplomatico vietnamita, appena uscita da un convento nei dintorni di Londra). Questa nostra sorella (che gli indigeni chiamano *Tran-haki*, ossia la ragazza che stringe gli occhi) aveva imparato a parlare bene la lingua gamuna, mentre si inceppava spesso parlando in inglese o in francese, perché era molto balbuziente.

14. *Analogie tra luoghi e pensieri sparsi*

La luna viaggiante a quest'ora va via bassa, il cielo lontano fa scherzi tra le nuvolaglie, e io sto qui davanti alla finestra aspettando che vengano le parole da scrivere. Sento passare dei camion sullo stradone che va a Falaise, altri che vanno verso i valichi del Bocage, ora coperti di brume. Là c'è un passaggio a nord ovest sul massiccio armoricano, che forse somiglia al passo del Muskadù sul massiccio basaltico, dove si scende verso il territorio gamuna. E anche la cittadina di Falaise forse ha qualche somiglianza con il capoluogo gamuna che cerco di descrivere. Intanto mi viene in mente che per le strade di Gamuna Valley devono esserci spesso dei regolamenti di conti a mano armata, tra gli avventurieri di passaggio. Un giorno Sempaté si è trovato in mezzo a una furiosa sparatoria tra trafficanti olandesi e un gruppo di esuli russi. I russi si difendevano mitragliando tutto quello che c'era in giro, muri, porte, finestre, tetti, cani randagi, pecore e vacche che brucavano l'erba in un giardinetto comunale.

GENNAIO-FEBBRAIO
LE ALLUCINAZIONI DEL DESERTO

1. *Il posto delle allucinazioni*

Il posto delle allucinazioni che ho in mente è un posto modesto, dove tutto è in disordine e sparpagliato per terra, abbandonato da anni o decenni, perché la vita si è spostata altrove, sempre più ritirata nelle lontananze. E il posto che ho in mente è di quelli dove non si va con viaggi organizzati, ma ci si ritrova senza sapere come, svegliandosi un giorno con l'idea di visitare le rovine del mondo, e facendo dei passetti lenti per non smarrirsi nel grande spazio. All'epoca del suo arrivo nel paese dei Gamuna, Astafali si faceva molte domande su questo argomento e sui miraggi di fata morgana. In particolare questa: sono pure illusioni ottiche, oppure proiezioni dei nostri desideri nel mondo esterno?

2. *Spiegazione scientifica*

È noto che i miraggi di fata morgana sono fenomeni desertici prodotti da una stratificazione dell'aria con densità crescente verso l'alto, in presenza d'un forte riscaldamento di terreni nudi. I manuali dicono che attraverso uno strato d'aria surriscaldata i raggi solari si inflettono verso l'alto e proiettano in distanza visioni fantasmagoriche. Così si ha l'impressione d'essere di fronte a una distesa d'acqua sparsa a livello del suolo; ma può essere anche la visione d'una conca tra rive dirupate, da cui emergono piante o scogliere o altre forme assunte dal miraggio.

3. *Altri esempi da considerare*

Molti viaggiatori dicono d'avere visto città inesistenti in zone desertiche del mondo, e castelli turriti di straordinaria fattura, e strade che vanno all'infinito, e animali dispersi in una calma e luminosa acqua che li fa apparire come spiriti d'un immenso wadi. La cosa può verificarsi anche sul mare, per via d'un riscaldamento dell'acqua con sovrastanti strati ad inversione termica; e qui le momentanee alternanze di densità dell'aria, crescente o decrescente verso l'alto, determinano condizioni d'instabilità che producono rapidi cambiamenti nelle visioni e aspetti multiformi del fenomeno. Quello che avviene è che uno strato d'aria calda interposto tra strati d'aria più fredda agisce come una lente cilindrica che si pone tra l'osservatore e il punto osservato; e tale lente aeriforme ingigantisce le immagini, trasformando un punto vuoto del deserto nella visione di un'oasi, oppure trasformando le case e scogliere d'una spiaggia lontana in castelli e torri che sorgono dal mare. Il celebre Boccara, che a suo tempo studiò attentamente il fenomeno nello stretto di Messina, poté vedere un grandissimo ponte sostenuto da colonne in stile dorico, sul quale passava un enorme treno.

4. *Dubbi sulla natura di questi fenomeni*

Rimane da capire se quei miraggi siano fenomeni puramente ottici, oppure stati della mente come credono i Gamuna, e come si può desumere da vari esempi. Due noti studiosi, lo Joubert e il Nielsen, dicono che non è possibile attribuire ogni miraggio alla presenza d'un oggetto reale, né stabilire con certezza se appare a due persone nello stesso modo. Gli abitanti di molte zone costiere hanno visto apparire sul mare castelli, città, greggi o montagne, là dove nessun oggetto esistente poteva creare immagini del genere. E il celebre Boccara, come ha fatto a vedere quelle alte colonne in stile dorico e l'enorme treno che passava fumando sopra lo stretto di Messina, se non per pura "vis fantastica"? A quali oggetti reali poteva mai corrispondere la sua visione? Ma ancora più interessanti sono i miraggi nelle zone polari, dove sono stati visti panorami incantati, con blocchi di ghiaccio che si trasformavano in torri, templi e castelli, o altre visioni fantastiche secondo lo stato d'animo degli osservatori. Tutto ciò è documentato dai manuali; ma spiega ancora abbastanza poco sul fenomeno delle visioni. Come dicono i Gamuna: "Nessuna visione è uguale a un'altra, tutte nascono da lusinghe che si annidano nel corpo, secondo il posto dove ti portano i piedi".

5. Il mito di Eber Eber

Un antico mito gamuna parla dell'eroe Eber Eber venuto dal mare in forma di zanzara, e capace di usare i fenomeni di allucinazione desertica contro i nemici. Caratteristica di Eber Eber era l'allegra e potente risata con cui intronava i cervelli degli avversari. Li intronava prima di darsi precipitosamente alla fuga nel deserto come zanzara, verso il miraggio di un'oasi lontana dove gli eserciti lanciati al suo inseguimento morivano di sete e di tristezza. Un'altra parte del mito dice che la potente risata di Eber Eber invadeva l'aria con una respirazione subumana; così non era più possibile distinguere un albero da una nuvola, una zanzara da un uomo;

e tutte le cose tremolavano nell'incertezza desertica come apparizioni di fata morgana. Giunto a tardissima età in forma di zanzara, l'eroe Eber Eber non aveva più nemici e perciò si annoiava molto. Un giorno ha voluto appostarsi sulle ali d'un uccello migratore, per salire in alto nel cielo e vedere cosa succede lassù; ma giunto in prossimità delle nuvole, una vertigine lo faceva piombare a terra, subito morto stecchito. Resuscitato non più come zanzara ma come un giovanotto con la barba, Eber ha voluto banchettare con i suoi nemici morti, e li ha chiamati all'appello con la sua potente risata. Arrivando di corsa, i morti avrebbero detto: "*Gamuna!*", che significa: "Siamo qui!" (oppure in altre accezioni: "Noi che abitiamo qui"). Quella sarebbe la prima parola pronunciata nel mondo, e di lì sarebbe nato il linguaggio degli uomini. Durante il banchetto, i nemici morti di Eber avrebbero poi cominciato a conversare, inventando parole per il cibo, parole per i ricordi, per la guerra, per l'amore, per i vestiti, per l'aspetto del cielo. Nell'allegria delle bevute, inventavano quelle parole che sorgevano spontaneamente nella loro gola, sempre per rispondere alle potenti risate di Eber, il quale sapeva solo ridere e non faceva altro.

6. *Come è nata la vita sulla terra*

Dopo il banchetto l'eroe Eber Eber si sarebbe avviato verso il deserto con la pancia piena e gli occhi ridenti, dicendo che andava a sciogliersi nell'aria come polvere fine e iridescente. Anche questo lo avrebbe detto con una risata, in quanto nella sua gola le parole non riuscivano a formarsi, e sembravano piuttosto i ronzii d'una zanzara. Ma non appena lui si è trasformato in polvere fine del deserto, è accaduto questo: che l'iridescenza della polvere e il calore dell'aria producevano nei nemici morti l'illusione di essere vivi, e di avere un mondo di visioni fantasmagoriche davanti agli occhi. Tali visioni si spandevano con la polvere che il vento portava lontano, subito baluginando dovunque nel turbine d'iridescenza in cui s'era dissolto il grande eroe. Quella è l'illusione da cui sarebbe nata la vita sulla terra, destinata a durare solo per quel brevissimo attimo in cui i raggi del sole fanno brillare qualche sparso granello di polvere desertica nell'aria. Tra il lontanissimo passato in cui è sorto il miraggio che costituisce l'origine del mondo sensibile, ed il punto d'avvenire in cui quel miraggio scomparirà, pare che per i Gamuna non intercorra quasi alcun lasso di tempo. Ossia, è un tempo così piccolo che loro lo chiamano "scintilla d'iridescenza", e tutte le immagini di qualsiasi epoca, tutti i miraggi che spingono gli uomini a sognare e lottare per rincorrere qualcosa, sarebbero riflessi morganatici di quell'iridescenza iniziale.

7. L'istante cosmico e l'incanto delle illusioni

Tutto quello che avviene, che è avvenuto o che avverrà, per i Gamuna fa parte della "scintilla d'iridescenza", e il tempo non è che un'illusione portata dall'alone morganatico di quell'istante iniziale. Si tratterebbe d'un istante cosmico che però corrisponde a un insieme di miraggi; perché se non ci fossero miraggi non avremmo il senso del tempo che scorre. In altre parole, quell'istante cosmico non ha sviluppo, se non nel divenire e trasformarsi delle nostre illusioni, che passano via di momento in momento con i miraggi che sorgono intorno a noi. Perciò i Gamuna onorano le visioni di fata morgana come il maggior fenomeno della vita, e ritengono che i miraggi siano incanti in cui l'anima si perde lanciandosi fuori dal corpo. Dicono che ognuno corre dietro a certe illusioni e nessuno può farne a meno, perché tutto fa parte d'uno stesso incantesimo. Dicono che alcuni miraggi sono mortali o procurano guai, altri danno l'impressione di soddisfare la fame o la sete, le voglie carnali o i sogni di gloria. E i miraggi del deserto sono particolari solo per questo: perché mostrano che inseguendo le illusioni ci si sbaglia sempre, e non c'è modo di non sbagliarsi, e la vita non è che un perdersi in mezzo ad allucinazioni varie.

8. *L'alone delle lusinghe attorno alle cose*

Dopo aver interrogato il suo informatore, Astafali riassume: "Wanghi dice che, se un giorno andrà nel deserto sabbioso, molto probabilmente gli capiterà di vedere un tremolio nell'aria, e il tremolio gli sembrerà una di quelle oasi acquitrinose che si trovano nella brughiera. Se Wanghi ha sete correrà verso il miraggio, spinto dall'impulso di bere. Ma, dice, il suo impulso non sarà diverso da quello che la sera prima l'ha portato a inseguire nel buio una donna spasimando di possederla, né da quello che due giorni prima l'ha portato a rubare una gallina di Fonghi Fonghi per vendicarsi delle sue angherie. La sete che insorge alla visione dell'oasi, il desiderio alla vista d'una donna, la voglia di vendetta per certe angherie, sono fenomeni dello stesso tipo...". Secondo Wanghi questo sarebbe un fenomeno generale che avvolge tutti i luoghi della terra: l'alone delle lusinghe che fanno nido nel corpo e si lanciano fuori in cerca di qualcosa a cui aggrapparsi, fino ad avvolgere tutto lo spazio. Quando ci pensano i Gamuna diventano confusi, altre volte scherzano o si lamentano con uno sguardo di profonda stanchezza. Oppure, sentendosi addosso un'illusione troppo forte, preferiscono stare seduti immobili, o dormire tutto il giorno.

9. *Visioni all'arrivo in un paese sconosciuto*

La sorella Tran racconta le visioni che le sono venute incontro al suo arrivo in territorio gamuna. Era un pomeriggio invernale, lei correva su una camionetta assieme a tre avventurieri europei che l'avevano raccolta non so dove; la pista tra le dune sembrava sprofondarsi in una palude che veniva loro incontro, ma espandendosi man mano che si avvicinava, fino a sembrare un grande lago. Ecco qui la descrizione del fenomeno di fata morgana, tra le più precise che ho letto: "Pareva che la camionetta facesse una corsa per sommergersi nell'acqua d'un lago o d'un acquitrino davanti a noi. Ma le rive si allontanavano di pari passo con la nostra avanzata, mentre i confini del lago, le forme delle sue coste e degli isolotti che sorgevano in mezzo all'acqua, mutavano aspetto di momento in momento. A tratti l'acqua dileguava e riappariva in una diversa posizione rispetto a noi. Io avevo l'impressione di correre verso un punto in cui ci saremmo dispersi nell'aria, e ogni attimo di ritardo era uno stato sospeso, col fiato trattenuto, prima d'essere inghiottiti dal baluginare dell'acqua luminosa...". E più avanti: "Nella sera ascoltavo degli anziani intorno a un fuoco che parlavano nel loro dialetto. Non capivo niente. Quando ci siamo messi in cammino verso la cittadina, le prime case nel buio sembravano rovine dimenticate. Seguivo gli anziani che mi guidavano camminando a gran passi, mentre il torpore che mi aveva preso stava diventando una specie di ombra interna. Inciampavo in sassi e arbusti, tutto mi fluttuava intorno... So solo che i miraggi ti attirano venendoti incontro in modo fluttuante, finché anche tu fai parte di quel fluttuare, allora non puoi giudicare più niente...".

10. *Sospetti su Wanghi e le sue chiacchiere*

Fin dal primo incontro Sempaté aveva avvertito il suo padrone che Wanghi Wanghi gli sembrava un truffatore e falso in tutto quello che diceva. Secondo lui le storie sui miraggi di fata morgana che gli raccontava erano favole, inventate per scroccargli dei soldi e fare una vita da nababbo all'Hôtel Sémiramis. Si ricorderà che Wanghi era stato assunto come informatore al primo incontro nella brughiera; ma di fatto le sue informazioni non potevano essere verificate in alcun modo, perché Astafali e Sempaté non capivano il dialetto locale. Dunque erano in balia dello strabico, che dirigeva la loro vita con i suoi consigli da esperto dei costumi e abitudini locali. Era lui che aveva reclutato una squadra di indigeni per fare le pulizie, rimettere a posto i letti, fare la spesa, preparare il pranzo; ma non trovava niente da ridire se uno di loro si dimenticava di spazzare una stanza o di far qualcos'altro, oppure andava a spasso per i fatti suoi tutto il giorno. Anzi aveva l'aria di considerarla una condotta giudiziosa, spiegando a Astafali: "Pretendere che i miraggi ci portino dove vogliamo noi è una pazzia". Sempaté lanciava maledizioni perché doveva far tutto lui, pulire, far la spesa, preparare pranzo e cena. Wanghi passava le giornate su una stuoia, con lo sguardo nel vuoto, senza dar retta alle sfuriate di Sempaté, masticando una radice rossa simile al betel e fumando la sua pipetta di gesso.

11. *Astafali incontra il colonnello Bonetti*

Sul retro dell'Hôtel Sémiramis c'è un vasto giardino con in fondo due dépendances, riparate da grandi alberi di tuspé (pioppi bianchi locali). Ha la forma d'un giardino alla francese, ma in miniatura, e con i sentieri completamente invasi dalle erbe, le fontane ormai coperte del tutto dalla vegetazione. I rampicanti d'una pianta dalle foglie rosse, chiamata tunka, avvolgono le costruzioni sul fondo e il muro con l'uscita posteriore. Ora, in una di quelle dépendances era alloggiato il celebre colonnello argentino Augustín Bonetti, allora considerato il massimo esperto mondiale della cultura gamuna. Nell'altra aveva preso alloggio un'avventuriera americana sua amica, di nome Elissa Keleshan. Di corporatura gigantesca, donna bruna e attraente, generosa e espansiva come sono spesso le donne ebree di Brooklyn, l'Elissa era tra l'altro una nota miliardaria. Non so quando sia avvenuto l'incontro tra Astafali e questi due speciali personaggi, ma da qualche appunto ricostruisco che i tre cenavano insieme nel giardino alla luce dell'acetilene.

12. *Storia di Augustín Bonetti*

Il colonnello pilota argentino Augustín Bonetti, precipitato con il suo aereo in territorio gamuna una decina d'anni prima, è stato considerato il massimo esperto di cose gamuna. I primi suoi articoli, apparsi su una rivista etnografica olandese, spiegavano come si svolge la vita di quel popolo: il suo dialetto, le abitudini, i riti, le concezioni, l'ordine dei suoi clan. Il guaio è cominciato quando il colonnello argentino ha voluto addentrarsi in spiegazioni troppo sofistiche, per giungere inattesamente a dire che le concezioni gamuna sui miraggi desertici erano in pieno accordo con le più moderne teorie dei flussi oscillatori. Non posso spiegare di cosa si tratti perché non so niente di quelle teorie fisiche, e poi l'articolo di Bonetti è veramente oscuro. Ma è come la visione d'un mondo fissato nell'attimo stesso del suo crollo, mentre si sfalda in onde e particelle, e tutto oscilla nella perdita d'equilibrio che annuncia la sua caduta. Io mi sono fatto l'idea che Bonetti scrivesse queste cose in preda a forti allucinazioni; e penso che questa sia una testimonianza del modo

in cui si può scrivere a Gamuna Valley, essendo sempre
esposti agli abbagli del deserto. Si crede d'avere visioni dello
spazio immenso e del tempo originario, e ci si ritrova vaneg-
gianti dall'altra parte della vita.

13. *Fuga nella caverna del Muskadù*

Gli antropologi delle città dell'interno hanno spesso ripe-
tuto che il colonnello Bonetti è un mistificatore, senza alcuna idea di cosa sia un serio lavoro etnografico. In particolare
la sua proposta di confrontare le concezioni gamuna con le
teorie fisico-matematiche sui flussi oscillatori ha fortemente
irritato la comunità scientifica internazionale, oltre agli intellettuali progressisti delle città dell'interno. Ci sono state proteste sui giornali, severe denunce del carattere puramente
fantasioso dell'articolo bonettiano. Alla fine è stato inviato
un contingente di paracadutisti per catturare l'autore e sot-
toporlo a processo. Per sei mesi, Bonetti ha dovuto vivere
nascosto in una caverna del massiccio basaltico, e l'unico
suo legame col mondo civile è rimasta la fedele Elissa Keleshan. Questa avventuriera americana, alta quasi due metri,
energica ed ottimista come pochi, anche lei con pistola in
cintura, foulard al collo e passo marziale, organizzava gli approvvigionamenti del colonnello argentino nel suo rifugio
montano. Inoltre curava i contatti con gli editori europei e la
spedizione dei suoi nuovi articoli a riviste di tutto il mondo,
convinta che contenessero importanti scoperte scientifiche.
Oppure soltanto perché, annota Astafali, l'Elissa e l'Augustín s'erano dati appassionatamente l'uno dell'altro in grandi
amori nella caverna del Muskadù.

14. *Come immagino Bonetti*

Io immagino Bonetti come un tipo magro, fantasioso, chiacchierone, forse anche un po' impudente nelle sue vanterie e sempre in caccia di donne. E immagino che da giovane andasse in giro a corteggiare le donne parlando con l'accento castigliano e citando sempre il *Don Chisciotte* per far colpo. Con quell'arte forse scroccava soldi e baci, come poi ha fatto con la gigantessa Elissa Keleshan. Non so collocare il suo incontro con Astafali, ma di sicuro è avvenuto dopo il ritorno di Bonetti dalla caverna del Muskadù. Una cosa che si capisce bene dai taccuini del mio amico è che l'argentino lo consigliava di non badare alle chiacchiere del suo informatore Wanghi Wanghi. Anche lui sospettava che Wanghi inventasse storie per incantarlo e spillargli dei soldi. Durante le loro cene nel giardino dell'albergo, Bonetti sosteneva che per capire la questione dei fenomeni di fata morgana bisogna andare nel deserto, esporsi ai miraggi fino a rischiare la vita. Lui aveva preso parte a un rito iniziatico dei ragazzi gamuna, che sono condotti nel deserto e lasciati senza acqua e senza cibo per giorni e giorni, fino quasi a morire. Anche lui aveva rischiato di morire, arrancando per due settimane tra le dune, in preda a spaventose allucinazioni (forse esagerava). Solo allora, diceva Bonetti, tutto diventa chiaro. Ma chiaro cosa? È questo che Astafali voleva accertare quando è partito in una spedizione nel deserto sabbioso.

FEBBRAIO
CARATTERI DEL GAMUNA MEDIO

1. *Una spedizione andata male*

Astafali si è dato a preparare la spedizione nel deserto.
Sempaté aveva trovato nella rimessa dell'albergo una vecchia automobile di marca Isotta Fraschini, con alti parafan-
ghi e capote ribaltabile. Si è messo al lavoro, ha smontato il
motore, è riuscito a farla funzionare. Astafali, Sempaté e
Wanghi Wanghi sono partiti in macchina, prendendo la strada verso il deserto a sud ovest. Di lì comincia il "Sentiero
degli antenati", dove i Gamuna vanno a portare i loro morti,
e la pista è costeggiata da mucchi di ossa e di crani. Molto
caldo, sole abbagliante, vento che sollevava la sabbia. Poco
dopo il carburatore della macchina si è ingolfato, e Sempaté
ha dovuto smontarlo e pulirlo, ma la macchina non andava
in moto lo stesso. Wanghi indicava dei miraggi lontani che
Astafali non riusciva mai a vedere; vedeva solo quei mucchi
di ossa e di crani, poi femori e tibie sparsi che affioravano
dal suolo quando il vento spostava la sabbia. Mentre Sempaté cercava di rimettere in moto la macchina, Wanghi non
stava mai zitto; e deve essere stato questo che ha stravolto il
mio amico, fino a metterlo in uno stato di acuta incertezza su
tutto quello che vedeva o sentiva (altro effetto dei miraggi
desertici, secondo lo strabico Wanghi).

2. Astafali comincia a sbandare

Spedizione, molto caldo, panorama del deserto. Wanghi parla sempre. Astafali è abbagliato dal sole, non vede niente. Devono abbandonare la macchina. Qui i taccuini del mio amico si riempiono di appunti poco decifrabili. C'è un litigio tra Sempaté e Wanghi; poi vedono degli aironi, credono che ci sia uno stagno, corrono e non trovano niente, solo altre ossa, tibie, femori, crani. Si perdono sul "Sentiero degli antenati", in mezzo alle dune, dormono tra le ossa. L'indomani arrancano per un giorno sotto il sole e tornano a casa stremati. Astafali è febbricitante. Wanghi dice che è colpa dei miraggi. Sempaté dice che è colpa di Wanghi che li ha intontiti a forza di chiacchiere. Astafali dice di non aver capito niente di questa storia dei miraggi del deserto. Il suo umore ora diventa vacillante, con quella domanda del viaggiatore sbandato: "Ma cosa sto a fare in questo posto?". Intanto qui in Normandia le giornate si allungano; comincio a vedere delle belle schiarite nel cielo verso ovest. Le campagne sono verdi, i campi velati da vapori che salgono dalle zolle, e le vacche pascolano pacifiche davanti alla mia finestra.

3. Perché i Gamuna sono così demoralizzanti?

Molti si sono chiesti perché davanti ai Gamuna nasca così spesso quella sensazione di squallore e inutilità della vita. Da dove viene la loro capacità di immalinconire anche gli avventurieri più rudi? Mi sembra che anche le incertezze di Astafali dipendano da un simile contagio, che colpisce quasi tutti gli stranieri. Bonetti ha cercato di spiegare la cosa, ricorrendo a un'antica suddivisione degli individui secondo quattro tendenze umorali: 1) i biliosi – individui sempre pieni di scatti e sguardi di livore, rari a Gamuna Valley, ma se ne trovano tra i cacciatori della brughiera, soprattutto tra quelli vecchi e arteriosclerotici; 2) i flemmatici – è la tendenza umorale che prevale in assoluto tra i Gamuna maschi, connotati da un corpo quasi filiforme, ossia sottile e molto snodato, con sguardi vacui e sfuggenti, andatura con spalle flosce; 3) i sanguigni – questa tendenza umorale domina nel ceppo tribale dei Traumuna, stanziati in una baraccopoli a sud della città, gente bellicosa che disprezza altamente la flemma dei suoi cugini Gamuna; 4) i malinconici – appartengono tutti al ceppo tribale degli Tsiuna, altri parenti dei Gamuna, stanziati nella periferia est in malandati attendamenti. In realtà gli Tsiuna sono una parte minima della popolazione, ma basta che uno di loro compaia in una strada, e subito ha il potere di spandere un'aria di squallore in tutto il quartiere. Chi lo dice? Lo dice il colonnello Augustín Bonetti. Dunque quella capacità di deprimere i forestieri non andrebbe attribuita a generici Gamuna, bensì a pochi Tsiuna che s'infiltrano qua e là, e camminando rasente i muri diffondono un senso d'inutilità su tutto.

4. *Critica delle tesi sopra esposte*

È vero che i Traumuna detestano gli Tsiuna per la tristizia che si portano addosso; ed è anche vero che un serio Gamuna non parla mai di loro, essendo la malinconia un morbo disdicevole, che non bisogna neanche nominare tra persone adulte e civilizzate. Però le tesi di Bonetti non provano niente, perché vorrebbe spiegare degli effetti occulti con dicerie su una popolazione di poveracci. Ora, lasciando da parte i malinconici Tsiuna e fissandosi sui prudenti Gamuna, va detto che i loro umori sono poco esplorabili perché tenuti nascosti dietro sguardi vacui e mosse timorose. E va anche detto che, se sono loro a spandere quel senso di squallore e inutilità della vita, le loro donne e i bambini non hanno niente a che fare con simili mestizie.

5. *Bande di bambini violenti*

I bambini gamuna non somigliano in nulla ai loro padri. Sembrano di un'altra razza, nati da una filogenesi senza nome, sotto un cielo con un'altra giustizia. E mentre le bambine sono spedite in soffitta per nasconderle alle bande di predoni del sud est (i Matuma, visti come gli zingari della zona, ladri di bambini oltre che di pollame e maialini trok), verso i sette-otto anni i maschietti lasciano la famiglia e diventano dei piccoli criminali. Vagano in bande col volto mascherato; vanno a rubare lingotti d'oro nelle rovine delle banche; hanno i loro piccoli capi che si credono degli eroi leggendari; sono violenti e crudeli con gli avversari, e massimamente ostili ai maschi adulti della loro tribù. Di sicuro non producono effetti deprimenti, semmai sorpresa e spavento per le urla da selvatici scatenati che danno fuori quando assaltano un avversario.

6. *Donne carnose e matrone passionali*

Le donne gamuna possono produrre effetti sconcertanti con le loro occhiate, ma non si è mai sentito che ispirino la pallida malinconia degli Tsiuna, o quel senso di vita insulsa che spesso i maschi adulti portano scritto in faccia. Del resto considerano i mariti come animali d'una specie diversa, da tenere a distanza con sguardi e scherni poco innocenti. Questo loro separatismo dipende in parte dal fatto che la sagoma nervosa e filiforme degli uomini sembra miseranda, accanto a quella carnosa delle donne. Si aggiunga che i maschi hanno fisionomie pavide e fluttuanti, nessun interesse sentimentale, e scoppi frequenti d'angoscia con strabuzzamenti d'occhi; mentre le donne hanno sguardi molto diretti, risate di sfida, e si lanciano in arditi amori fino ad età avanzata. Inoltre, le donne sono vanitose, ma d'una vanità sconsiderata e rinfrescante, dice la sorella Tran; mentre gli uomini non lasciano mai trasparire quel vizio, perché hanno paura di suscitare delle critiche morali. Un'altra cosa distingue più che mai gli uomini dalle donne gamuna: quando un maschio sente pronunciare la parola "vita" è spesso preso dal convulso, sbanda e barcolla, pensa a tutto quello che potrebbe succedergli di brutto; invece una donna è invasa da imprecisi entusiasmi, da un calore alla testa, o da voglie di buttare il marito in un pozzo. E se è una matrona, a volte ha dei fumi che le escono dalle tempie, poi si mette alla finestra aspettando che arrivi uno straniero da lontano, a cui lanciare occhiate di fuoco.

7. Il rito iniziatico nella vita del maschio

In un altro articolo Bonetti tenta di spiegare il carattere dei maschi adulti gamuna risalendo al rito iniziatico. Sui dodici anni, dice, i maschi sono condotti nella brughiera, lasciati senza cibo, lasciati a dormire per terra e spaventati con urla notturne. Sono assaliti nel buio a randellate da un comitato di adulti, i quali portano maschere dipinte sul volto per somigliare ai mitici antenati venuti dal deserto. Tutto ciò non ha niente di speciale, succede presso molti popoli. Particolare è solo la conclusione del rito, quando i giovani inebetiti dalle botte sono trascinati al santuario dell'Essere del Largo Respiro, e qui fatti sprofondare con il viso negli escrementi che ammorbano il sentiero, mentre un anziano ripete molte volte: "Tu sei questo" (*ta gama ku*). Da quel momento si svegliano come da un sonno, e vedono tutto in modo diverso. Se prima vedevano un sasso, una porta, un arbusto, una pecora, nell'alone delle lusinghe giovanili, ora vedono l'alone delle lusinghe come un barbaglio che fluttua nell'aria e rende ogni cosa indistinta e sfuggente. Di lì comincia la loro vita da adulti con sguardo tremolante, passo sbandato, l'aria di volersi sempre nascondere. D'ogni cosa ora vedono quel barbaglio che la avvolge (è lo scintillio delle illusioni che fanno tutt'uno con l'animazione del mondo esterno), e temono ciò che potrebbe suscitare in loro. Così assumono quell'aspetto meschino che è segno di prudenza, ma che avvilisce ogni forestiero in cerca di eccitazioni e miraggi esotici.

8. *Gli adulti pavidi*

Un maschio gamuna di solito è un essere pavido, sostiene Bonetti, perché i suoi padri sono stati pavidi e i padri dei padri dei padri tutti pavidi. Tremolante e meschino, difficilmente riesce ad essere glorificato in famiglia. Qualche volta trova un po' di conforto tra gli amici del bar; ma è un calmante che non lo distoglie dal timore che i miraggi gli piombino addosso d'improvviso a rovinarlo per sempre. Ha una coscienza acutissima che l'istante è il gioco della fatalità, incontrollabile perché repentino, dove d'un tratto può crollare tutto senza che uno possa farci niente. Questo adulto sembra l'uomo assolutamente cosciente, pacato nei gesti e nelle opinioni; ma il suo lobo sinistro macina notte e giorno il pensiero dei pericoli da scansare; e praticamente non pensa ad altro, è la sua fissazione da mattina a sera. Perciò egli segue la via dei padri, con un complesso di reazioni organiche inprontate alla massima prudenza, che Bonetti chiama "pavor gamunicus".

9. *Quelli che si rifugiano nel mestiere*

La maggior scappatoia dell'adulto è di sprofondare nei miraggi del mestiere, con l'idea d'essere un bravo falegname, o vasaio, o fabbro, o guaritore di bestiame, o meglio ancora un furbo affarista. "Io faccio il mio lavoro," dicono questi, con un tono sostenuto come per dire che più nel giusto di così non si può essere. Al mattino quando vanno al lavoro, possono camminare tranquilli dicendosi: "Io sono un bravo commerciante," (o vasaio o guaritore di bestiame). Poco dopo però ognuno di loro si trova a contrattare con un altro commerciante o con un cliente; si trova faccia a faccia con un altro maschio adulto; deve ascoltare le sue risposte meschine da adulto; deve accorgersi che la meschinità dell'altro cela una pesante incertezza come la sua. Non che analizzi le situazioni, ma il suo corpo è diventato così filiforme perché gli funziona come un'antenna, molto sensibile al pericolo dei crolli quotidiani. Lui e il cliente si scrutano, vibrando con l'antenna del loro corpo. Nel contrattare entrano in una gara di meschinità, ognuno tentando di rendere l'altro più insicuro di quanto sia lui, in modo che l'altro si lasci manovrare, cadendo vittima delle proprie paure. Poniamo che l'affare vada bene: il nostro uomo può andare al bar a chiacchierare con gli amici, magari vantarsi dell'affare concluso. Ma quando poi esce per strada e vede il cielo avvolto da un intenso colore violetto, è come se alla fine del giorno non restasse più niente, salvo la stupidità dei giorni che passano. L'adulto operoso torna a casa perplesso, con uno sguardo serale che vuol dire: "Perché devo fare tutti questi sforzi? A cosa serve? Cosa mi succederà?". Le mogli ogni sera ascoltano le solite lamentele, e guardano di traverso i mariti con occhiate stanche e distratte, a volte con piccoli cenni di compassione.

10. *Nota sul vestiario*

Il maschio gamuna porta abiti dei precedenti abitatori, che di solito cadono a brandelli, ma che le mogli ricuciono continuamente con grandi toppe variopinte. In testa porta il cappelluccio schiacciato sul cucuzzolo, che si leva per salutare i conoscenti. Ai piedi porta dei sandali di pelle di vacca, qualche volte scarpe di precedenti abitatori. Da notare: gli adulti gamuna di Gamuna Valley non vanno mai scalzi. Se uno si dedicasse al suo mestiere a piedi nudi, perderebbe i clienti, perché tutti direbbero: "Sta scalzo come i selvaggi dell'Onianti che non credono a niente". Portare sandali o scarpe vuol dire che l'adulto mostra di credere al decoro, all'onestà, alla serietà, e ad altre cose vantate dalle chiacchiere correnti. Tutto questo stabilisce la normalità del Gamuna medio come individuo socialmente accettabile, serio e responsabile.

11. *Umori nei mesi delle piogge*

Nella stagione marzolina, quando la pioggia cade fitta, incessante, gli adulti maschi spesso stanno in casa pensando agli scarsi guadagni e all'avvenire pieno di rischi. Invece, in quelle giornate di acqua a catinelle, per le strade si vedono donne e bambini che vanno in giro con aria allegrissima. I bambini godono a inzupparsi di pioggia, fanno danze guerresche, e si sentono eroi come l'antico eroe Tichi Duonghi che di notte si introduceva nelle case per pisciare in testa ai mariti che russano. Dunque anche loro corrono per le case a pisciare contro i muri, sui mobili, certe volte persino contro gli adulti maschi rintanati in un angolo col muso lungo. La sorella Tran scrive che in quei giorni di fitta pioggia, molte donne sposate vanno in giro contente di bagnarsi, mentre nel loro cuore spuntano le malizie. Sentono dei bollori amorosi, fanno progetti di adulterio, che le raffiche d'acqua stimolano moltissimo; e ridono sotto l'ombrello, andando a spasso con quei pensieri da donne spudorate e leggere.

12. *Parate sulla avenue centrale*

Con tutte le sue spiegazioni da esperto, Bonetti ha dato un quadro molto agro della vita gamuna. In realtà le cose non stanno così, e ci sono momenti in cui anche i maschi adulti sono allegri, con la voglia di fare incontri e risate, e persino di scambiare occhiate di corteggiamento con femmine viste per strada. Questo avviene al tramonto, nei giorni di festa, quando tutti indossano gli abiti più eleganti dei loro predecessori: abiti che sono spesso troppo corti, troppo larghi o troppo stretti, senza che loro ci facciano caso. Così addobbati vanno a passeggio nella grande avenue del centro, pavoneggiandosi e strusciandosi nella calca. Scrive Astafali: "Un vecchio con la giacca scura che gli arriva al ginocchio ha un'aria contenta, mentre si pavoneggia col suo ammasso di stoffa superflua. Una donna in abito di paillettes si è annodata sulle reni lo strascico da cerimonia, ed è guardata con speciale attenzione per il sedere voluminoso che scuote allegramente. Altri con bombette in testa, se le mettono e se le levano in continuazione, gettandole anche in aria per esibirle nella ressa...". Poi, quando il buio non permette più di gloriarsi dei propri addobbi, si siedono sui marciapiedi a chiacchierare, mentre tutto diventa immobile e protetto dall'ombra che li rende calmi e pensosi. A quanto pare i Gamuna amano particolarmente la notte, ed a partire dal tramonto pregustano la calma che scende sulla terra assieme alle ombre. In vari punti della città ci sono mucchi di macerie, sui quali gli anziani hanno creato dei salottini con panche e stuoie, luoghi che consacrano alle chiacchiere notturne, soprattutto nei mesi caldi.

13. *Sentimenti del tramonto*

Quegli incontri vespertini e poi serali sono fatti di lunghi silenzi, mentre si osserva l'arrivo di conoscenti, in attesa che la notte scenda e venga la grande calma sulla terra, che calma il respiro degli uomini. Tutti si siedono a pensare ai loro amici morti o dispersi, sentendo l'alito del deserto che porta il richiamo di altre vite perse nei miraggi di fata morgana. Quando sono invasi da quei sentimenti del tramonto, quasi tutti i Gamuna, maschi e femmine, hanno un particolare modo di volgere gli occhi e di muovere il collo, con un'aria assorta che anche Astafali ha notato e cercato di descrivere. Seduti su un marciapiede o su un mucchio di macerie, al calar delle tenebre cominciano a parlare molto più lentamente, anzi in maniera lentissima; in maniera così lenta che le sillabe si perdono nell'aria come sprazzi di suoni sparsi, in attesa della notte più fonda. "La notte," scrive la sorella Tran, "è per loro il tempo immobile che congiunge tutte le vite uguali, inapparriscenti, sparse, abbandonate o svanite nel mutevole brulichio delle immagini diurne."

14. *Sulle "chiacchiere medicinali"*

Quando scende il buio a Gamuna Valley, scrive Astafali, si ha l'impressione che il mondo si svuoti e la solitudine così pesante da schiacciare chiunque. I palazzi del centro sprofondano nell'oscurità, tranne per qualche bagliore che traluce dalle finestre, segno d'una candela accesa o d'un focolare consacrato a uno spirito protettore. Ma se si riesce a superare quella prima impressione, si vedranno dovunque uomini sui marciapiedi, immobili nel buio e quasi invisibili. Ogni tanto passa correndo una banda di bambini schiamazzanti, con una torcia in mano; appena questi sono spariti tutto diventa ancora più immobile e silenzioso, ma con il sentore di quelle presenze mute nelle tenebre. Astafali si appostava davanti all'Hôtel Sémiramis per capire cosa succedeva là fuori, dove gli sembrava ci fosse un fruscio continuo di incontri segreti, da cui si sentiva escluso: "Cosa succede? Perché sono qui?

Dov'è la vera vita?". Restava lì incerto come il viaggiatore che si accorge d'essere andato lontano inutilmente, fin quando gli veniva sonno e andava a dormire. Solo dopo varie settimane si è accorto che nelle ore più buie sbucano file di ombre che sciamano in direzioni ignote. Ed è così, seguendo le ombre, che ha scoperto quei salottini su mucchi di macerie dove gli abitanti si radunano per fare delle chiacchiere dette "medicinali" perché curano i cattivi pensieri. Sono chiacchiere come un canto a bocca chiusa, in cui si rivangano i pensieri della vita, ma diventando assenti da se stessi e pacificati dal parlare al buio. Oppure ancora più alienati e incastrati nella prigione del mondo, commenta Astafali (diventato aspro dopo l'inutile spedizione nel deserto).

15. *La sorella Tran e gli avventurieri*

Ai limiti della brughiera sorge il vecchio albergo in rovina dove da anni è installata la nostra sorella Tran. Qui vanno a dormire molti avventurieri di passaggio, per non vedere più dei musi gamuna dopo una giornata di traffici e minacce, di sudore e sopportazione della grama vita locale. Tra l'altro non sopportano neanche le tenebre assolute che calano sulla città: un buio così fitto che bisogna andare a tentoni, rasente i muri; oppure con una torcia elettrica, ma per questo più esposti ad attacchi improvvisi da qualcuno che attenda nell'ombra. Varie cose li turbano, essendo questi avventurieri carichi di inquietudini che prosperano nelle nostre nazioni, e che loro esportano nel mondo insieme ad altre merci. Di sera nel mezzanino della sorella Tran, si sfogano in lunghe chiacchiere nervose tra di loro, bevendo whisky e battendo i pugni sul tavolo, finché il sonno li coglie di colpo, mezzi ubriachi e annoiati di tutto. Al mattino se ne vanno, lasciando sul tavolo qualche dollaro, e la sorella Tran li guarda avviarsi verso il loro elicottero; spesso li vede vacillare storditi dalla sensazione insopportabile prodotta dal luogo: una sensazione di vite mediocri, votate al niente, che li mette completamente fuori dai gangheri. Se incontrano qualche indigeno maschio con quegli sguardi così vacui, di prima mattina sono presi da potenti furie omicide, e mettono mano alle pistole con la voglia di massacrare il malcapitato perché scompaia dal mondo. Ma l'altro di solito se l'è già data a gambe, spaventato dal loro incedere marziale; allora gli sparano dietro, a volte lo colpiscono, ma senza vera soddisfazione.

16. *La nostalgia delle guerre coloniali*

C'è stata un'epoca in cui gli avventurieri capitati da quelle parti erano sempre molto violenti, senza ritegni, essendo reduci dalle guerre coloniali o post-coloniali in tutto il pianeta. Ex mercenari armati di tutto punto prendevano a calci gli uomini e violentavano le donne – e secondo Astafali alcuni di loro hanno violentato anche la sorella Tran. Poi però grazie ai nuovi commerci la loro turbolenza s'è calmata; si è entrati in un'epoca con tutti i luoghi della terra diventati uguali, scoloriti e senza gloria, e con la nostalgia d'un luogo speciale che ormai non c'è più. Allora quegli ex mercenari (gli stessi violentatori della sorella Tran), hanno preso l'abitudine di riunirsi alla sera attorno alla suora vietnamita per raccontarle le loro sofferenze. Astafali parla d'una di queste riunioni a cui ha assistito, dentro una densa fumana di grossi sigari che tutta la congrega aveva in bocca; e dice che quello che manca agli avventurieri, il fondo di tutte le loro nostalgie, è il grande sogno delle guerre coloniali contro popoli esotici da sottomettere. Perché il maschio gamuna medio è già fin troppo sottomesso; ed è questo che è deprimente.

17. Conclusioni sul tema degli avventurieri

La sorella Tran dice che gli avventurieri sono gente con cui si può conversare, avere rapporti amichevoli, scambiarsi libri; ma non appena si tocca l'argomento dei Gamuna spuntano le loro fobie, e si direbbe che considerino la noia e la stupidità del luogo come un affronto personale. Nei suoi diari scrive: "Credono d'aver diritto a una vita speciale, fatta per gente speciale come loro; e cercandola devono sempre fuggire da dove sono, siccome hanno sempre l'idea che la vita altrove debba essere meno noiosa e meno deprimente di qui. Per loro tutto scorre come su uno schermo cinematografico dove vedono solo ombre più o meno attraenti, che servono a scacciare ogni senso di monotonia e inutilità della vita. Così vivono oppressi dalle fantasie d'una esistenza fatta soltanto per loro...". Ed eccoli i famosi avventurieri, che camminano muti e torvi, giurando ogni volta di non rimettere più piede in quel posto senza gloria. Quando salgono sul loro elicottero tracannano una bottiglia di whisky per dimenticarsi tutto, e si allontanano in volo verso il massiccio basaltico, dove sono stati scoperti giacimenti di amianto.

FINE FEBBRAIO
LA DERIVA DI TUTTO

1. *Apparizione della Buabìa Sangìto*

Dopo il ritorno dal deserto, una sera Astafali cenava in giardino con Augustín Bonetti e l'Elissa Keleshan. Ed è stato lì che ha visto per la prima volta la splendida Buabìa Sangìto. Era il crepuscolo, forse i tre avevano finito di mangiare e stavano chiacchierando, quand'ecco che oltre il muro laterale del giardino spunta un volto bellissimo. Deve essere stata questione d'un attimo, ma un attimo in cui lei ha diretto lo sguardo precisamente su Astafali. Di solito gli uomini e donne gamuna sono abbastanza bassi; ma se la testa di Buabìa spuntava oltre il muro, vuol dire che lei era di altezza superiore alla media (infatti lo era, e tra l'altro apparteneva al ceppo d'un famiglia regale, col lignaggio più prestigioso di Gamuna Valley). Non so se questo abbia prodotto un effetto speciale sul mio amico; fatto sta che lui s'è alzato e messo a correre per uscire dalla porta in fondo al giardino, ritrovare il camminamento dietro il muro e incontrare la donna che l'aveva incantato. Quand'è arrivato in quel punto però era già sceso il buio, non c'era nessuno in giro, e lui tutto tremante è rimasto a chiedersi dov'era andata la bellissima. Ecco tutto: sguardo, innamoramento istantaneo, inseguimento a vuoto. Ma gli effetti di quello sguardo gli sono rimasti addosso per mesi, con febbri e tremori intermittenti, che là chiamano febbri da miraggio del deserto.

2. L'innamoramento visto come stato di idiozia

I maschi gamuna non hanno idea di cosa sia un innamoramento; ossia per loro è una pazzia furiosa, e se mai gli capitasse sarebbe solo una seccatura. I fatti amorosi per i maschi gamuna si riducono alla normale voglia di copulare e al complesso problema di far mosse, dire parole adatte, per giungere al contratto matrimoniale. Si capisce perché, dopo la visione della Buabìa, Astafali fosse guardato come un povero idiota sia da Wanghi Wanghi che dagli inservienti indigeni reclutati da Wanghi. Il loro modo di mostrare compassione per il povero idiota era questo: incontrando Astafali sospiravano, si grattavano la testa e dicevano: "*Maen tin goi*" ("Fa caldo oggi"). Questo pare sia un gesto di buona educazione, come per dire: "Io non mi occupo dei miraggi degli altri. Lo so, lo so che ognuno ha i suoi, ma non sta bene farli notare. Altrimenti insorgerebbe l'altro miraggio di volerli curare, di voler estirpare un altro dalle proprie stravaganti illusioni. Cosa impossibile, perché sono tutti scherzi dell'Essere del Largo Respiro che gioca con gli uomini".

3. Qui anche le parole diventano incerte

Capisco che in questo momento Astafali non è in vena di studi né di discorsi intellettuali. Al mattino va a spasso con Sempaté, visita la città, osserva i palazzi, le strade, la gente, ma sempre guardandosi intorno nella speranza di rivedere la magnifica Buabìa Sangìto. Mentre va in giro con la voglia di rivederla, vede dovunque quel tremolio tipico delle visioni di oasi lontane e non sa come spiegarselo. Nel deserto non aveva visto nessun miraggio, e ora in città gli sembrava che tutto baluginasse come un'apparizione di fata morgana. Che fosse un effetto della calura? No, era l'inizio della stagione delle piogge, con acquazzoni improvvisi e molto vento, pochi barbagli di polvere in sospensione. Eppure tutta la città tremolava ai suoi occhi: i muri, le porte, il profilo dei tetti contro il cielo; tutto come nelle brume d'una visione desertica. Persino le sue parole sembrano tremolare nell'afa mentre le trascrivo su questo foglio.

4. *Un mercatino rionale*

Al mattino Astafali usciva con il fedele servitore Sempaté, e si lasciava guidare per i vicoli fino a una piazza dove c'è un mercatino rionale. Qui i compratori acquistano le merci contrattando il prezzo con una cantilena: canticchiando buttano un pugno in aria, con dita che si aprono come nel gioco italiano della morra, per dire il prezzo che vogliono pagare. Il venditore risponde anche lui canticchiando, con un pugno in aria per proporre il proprio prezzo. La contrattazione può essere rapida, ma può durare a lungo, secondo la puntigliosità del compratore e del venditore. Sempaté aveva imparato a fare quel gioco, assieme a poche parole per dire "sì", "no", "ma cosa vuoi da me?", "tu mi imbrogli". Aveva anche capito che bisogna litigare, perché senza litigio un acquisto non vale; e se non hai litigato abbastanza, il venditore ti corre dietro per riavere il suo cespo d'insalata o la sua coscia di montone. Allora bisogna agitare le braccia, aprire molto la bocca in segno d'essere scandalizzati, come se l'altro ti volesse imbrogliare a ogni parola che dice. "Perché," spiegava Wanghi, "se uno litiga vuol dire che cerca d'imbrogliarti, ma se non vuol litigare vuol dire che ti ha già imbrogliato."

5. Gli sforzi per avere ragione

Osservando quelle scene Astafali aveva l'impressione che il cliente o il venditore assumessero delle fisionomie variabili. Pareva un altro dei miraggi che vedeva dovunque per la città; ma questo meno evanescente, con facce sudate e stravolte nello sforzo per aver ragione, e momenti in cui il cliente e il venditore assumevano dei tratti labili e indistinti. Infatti spesso uno dei due chiedeva all'altro: "*U ma tan?*" ("Ma tu chi sei?"). "*Ma tan neni*" ("Sono io"), rispondeva l'altro. "*U ma neni?*" ("Io chi?"). "*U ma pungha*" ("Quello di prima"). Nelle contrattazioni più accanite a volte si vedeva uno dei due ingrossarsi a vista d'occhio per far colpo sull'altro, mentre l'altro metteva in mostra una faccia inverosimile da uomo mite e onesto; allora il primo faceva dei gesti pazzoidi da uomo scandalizzato, e il tutto con molte smorfie per imbrogliarsi a vicenda. Poi quelle scene finivano con strette di mano e strani bagliori negli occhi di entrambi; dal che si capiva che ognuno dei due credeva d'aver imbrogliato l'altro. Stanchi ma contenti, i due si invitavano al bar a vicenda, fusi nello stesso entusiasmo di mentire e imbrogliare l'altro, ognuno per avere ragione e cavarsi fuori dalle proprie incertezze.

6. Altre testimonianze sull'argomento

Anche la sorella Tran ha osservato quei cambiamenti di fisionomia di cui sono capaci i Gamuna. Quando era arrivata a Gamuna Valley era stata accolta come figlia adottiva in casa dell'Ajraia; e qui notava che il marito dell'Ajraia, Pigo Monghi, per avere ragione nei litigi domestici prendeva la fisionomia d'uno di quei cacciatori ispidi e biliosi che abitano nella brughiera. Invece quando l'Ajraia lo derideva lanciandogli sguardi di sfida pomeridiani, lui prendeva la fisionomia d'un malinconico ed esangue Tsiuna, facendo scendere sulla casa un tremendo senso di squallore. Che tali metamorfosi dipendano dall'entusiasmo di mentire e imbrogliare gli altri, era una cosa evidentissima per l'anziana Ajraia. E l'Ajraia aggiungeva che bisogna mentire e imbrogliare, altrimenti la vita si bloccherebbe nella ripetizione delle stesse cose, delle stesse verità ultime, senza più miraggi. E senza miraggi, che vita sarebbe?

7. La "deriva del sonno"

Più oscuro è un altro aspetto della vita gamuna che Astafali annota nel quinto dei suoi taccuini, chiamandolo "la deriva di tutto nel sonno profondo". Bonetti cita l'espressione *penumba-ti ortu-ta*, "deriva nel sonno di tutte le cose", e deve trattarsi della stessa questione. Se ben capisco, vorrebbe dire che per i Gamuna il sonno è una dimensione della vita più importante di quella diurna. La grande allucinazione del mondo che si rivela nei miraggi non sarebbe che il paravento dei fenomeni diurni, dietro cui si svolge un andazzo di moti cosmici nel sonno di tutte le cose. Quella sarebbe la vera realtà, che segue il giro delle stelle, l'infinita deriva delle galassie. Nel quinto taccuino Astafali accenna alle congreghe dei profeti gamunici nelle città dell'interno: i profeti del Bahranel che predicano la vita nel sonno come una dimensione molto più autentica, più reale e meno allucinata della vita da svegli.

8. I viaggi di Kattalyna

Un giorno Wanghi Wanghi ha rivelato ad Astafali un segreto di cui nessuno deve mai parlare, essendo il segreto massimo della vita adulta gamuna. Si chiama *Kattalyna*, che vuol dire "circuito commerciale", ed è uno scambio di merci che si svolge nei sogni. In sogno un Gamuna può viaggiare nei quattro punti cardinali del circuito commerciale e compiere buoni affari, dice Wanghi. I punti sarebbero: 1) la baraccopoli a sud della città, dove è stanziata una popolazione parente dei Gamuna, i Traumuna; 2) la comunità della brughiera, composta di pastori e cacciatori; 3) l'associazione dei commercianti del deserto, stanziati in plaghe lontane e inesplorate verso ovest; 4) gli sparsi discendenti gamunici che abitano nelle periferie delle città dell'interno. A parte i Traumuna e la comunità della brughiera, gli altri soci in questi scambi sono in realtà del tutto sconosciuti ai Gamuna. Li conoscono solo nei sogni, quando vanno a visitarli per vendere o comprare merci; non di meno fanno buoni affari e tornano da quei viaggi con merci pregiate che non si trovano a Gamuna Valley. Secondo Wanghi succede così: negli impulsi commerciali diurni un compratore o venditore è preso di colpo dal sogno commerciale, dal miraggio dei traffici e dei guadagni, allora di sera appena va a letto cade nel sonno, e diventa fluttuante come un tremolio dell'aria, e subito va lontano nel vento canticchiando le nenie di Kattalyna. Se qualcuno lo vuole svegliare mentre lui è in viaggio nel suo sogno, troverà un corpo morto, perché la sua anima è in uno dei punti cardinali del circuito commerciale.

9. *Nella fortezza di Boro Trai*

Uscendo da Gamuna Valley verso sud ovest, nelle notti chiare si vede un fitto ammasso di stelle che precipita dalla Via Lattea verso l'orizzonte a sud ovest. In quel punto desertico dove nessuno in realtà si spinge mai, secondo le leggende sorge la fortezza di Boro Trai, il dittatore della vita nel sonno, il cui corpo si confonde con gli ultimi ammassi di polvere cosmica che sconfina sulla linea della terra. Così dicono certe voci che i raccontatori di storie osano riferire soltanto in sussurro, magari nascosti in una soffitta o in un sottoscala, mai all'aperto. Dicono che Boro mangia in continuazione per diventare sempre più grasso, più grasso, più grasso, finché il suo corpo sarà così espanso da assorbire le più basse costellazioni celesti. Quel suo flaccido grassume che ormai ricopre tutta la fortezza di Trai con i suoi cascami, rappresenta l'ordine politico subumano a cui sono sottomessi i Gamuna, fino all'associazione dei commercianti del deserto e agli altri che si incontrano nei circuiti di Kattalyna. Che cosa vuol dire? Vuol dire che il tiranno Boro sorveglia i pensieri di tutti, minacciando nei sogni gravi pene per i trasgressori della sua legge.

10. *Sulle leggi segrete del mondo*

Di certo i Gamuna hanno norme di comportamento a cui si adeguano, e leggi morali con cui condannano gli atti turpi o spropositati o criminali. Ma non si riesce a capire da cosa dipendono le loro norme e leggi morali; né si vede un ordine giuridico, politico o sacerdotale, che le imponga e le renda operanti. Ebbene, secondo le voci segrete, sarebbero le donne di casa a imporre le norme e le leggi del tiranno Boro, avviando l'umanità verso l'addomesticamento totale. Lo fanno attraverso i comuni litigi domestici; oppure pulendo la casa e facendo da mangiare molto bene; oppure seducendo i mariti col piacere della copula che li rende molto docili e un po' sciocchi. In questi modi le donne riportano gli uomini alle norme del buon vivere e alle leggi segrete del mondo, senza farsene accorgere. Ma tutti sanno (anche se è vietato parlarne) che quelle leggi e norme del vivere nel nido domestico non sono stabilite dalle donne; sono da loro imposte in obbedienza a una forza superiore, a una potenza che vuole che la vita vada così. E questa è la potenza del tiranno spampanato ai confini del cielo, che incarna la deriva nel sonno delle cose.

11. *Maledizioni contro le donne*

Nella vita d'ogni giorno a volte si assiste a improvvise insurrezioni dei maschi adulti, che – pavidi e sempre sulla difensiva per la maggior parte del tempo – di colpo vorrebbero sfuggire alle leggi del vivere domestico, lanciando maledizioni contro le donne che li hanno accalappiati. Con queste insurrezioni i mariti vorrebbero poter non rinunciare del tutto alla loro bestialità o demenza o sguaiataggine, dunque lanciano tremende accuse contro le donne: accuse che i raccontatori raccolgono e dopo diffondono con le loro storie. C'è chi addirittura insinua che le donne siano tutte votate al culto del dittatore del sonno, e che ogni notte vadano in massa a vivere come sue concubine nella fortezza di Trai, sprofondate in una trance ipnotica nell'andazzo dei moti cosmici, sotto la costellazione del Vitulé (che sarebbe la Croce del Sud). Le accuse dei maschi parlano anche di orge, dove il tiranno Boro schiaccia 50 o 100 donne sotto il proprio corpo, mentre prende da loro piacere cumulativamente, e le donne suddette godono fino a morirne.

12. *Sempre sorvegliati dal tiranno dei sogni*

Il tiranno obeso Boro Trai estende la propria sovranità solo nella dimensione del sonno, dei sognamenti cosmici e della respirazione subumana. Ma qui non ha rivali, dicono le leggende, perché con i lembi del proprio corpo potrebbe arrivare fino alle pianure dell'Onianti e schiacciare in una notte tutte le milizie del generale Grondego insieme alle soldataglie del dittatore orbo Ughadai. Pare che di notte molti mercanti nei circuiti di Kattalyna sbarchino nella sua reggia-fortezza per offrirgli merci preziose, e siano accolti con grandi onori e pagati profumatamente. Pare anche che molte donne gamuna passino le notti non solo nel suo palazzo, ma nel suo stesso letto, come suoi materassi, pronte a farsi schiacciare dal suo peso pur di dargli il piacere. Ma nessuno oserebbe mai parlarne e neppur pronunciare quel nome nella vita diurna. Sarebbe, diceva Wanghi, una grave trasgressione della legge e dell'ordine morale e familiare, con spaventevoli conseguenze che possono arrivare fino alla morte del colpevole per soffocazione nel sonno. Questa è la dura realtà dei sogni, dove la legge si annida sotto le parole più comuni, dietro le immagini più normali. Si annida nelle cose più ovvie come un incubo, per ridurre uomini e donne all'obbedienza assoluta al tiranno che domina la parte oscura della loro vita.

13. *Leggende del dittatore Ourai*

Antiche storie parlano d'un dittatore di nome Ourai, che invitava ogni mese 1800 sudditi a sedere in banchetto con lui a mangiare senza sosta per una settimana. Naturalmente pochi sopravvivevano, mentre Ourai si ingrassava in modo spropositato, fino a somigliare a un enorme rospo di colore biancastro. I sudditi che crollavano svenuti a forza di ingurgitare cibo erano buttati dentro grandi fosse e sepolti. Se si trattava di donne, quelle più floride erano distese come materassi sotto il seggio del dittatore, che le schiacciava poco a poco con il proprio peso. I pochi che riuscivano a superare la prova, mangiando e dormendo a occhi aperti, senza svenire e fingendo di onorare il tiranno con abili dondolamenti del capo, erano eletti ministri, uomini della legge, capi delle guardie, sapienti di stato. Poi erano loro che terrorizzavano i popoli, arrivando di notte a massacrare le mandrie, a violentare le donne e picchiare gli uomini, per imporre la legge morale basata sul motto: "Ourai ti sorveglia, questa è la legge, non parlare mai contro di lui". Si dice che quei precetti di legge, così sommari e vuoti, abbiano fatto fiorire l'impero gamuna del sud ovest; perché hanno sviluppato nei sudditi una tale devozione per il sovrano, che tutti facevano a gara per spogliarsi di ogni avere e offrirglielo in omaggio. E ogni giorno si vedevano file di gente che portava doni al palazzo del tiranno, comprese le proprie mogli e figlie legate su un carro, già pronte per fungere da tappeti nel salotto regale.

14. *La legge come arbitrio del tiranno*

L'attuale Boro Trai sarebbe il discendente legittimo del despota antico cantato dai raccontatori di storie, con la differenza che Boro si è ritirato nella regione del sonno, fuori dai turbamenti dei miraggi di fata morgana, nella deriva delle cose mute che riposano. Astafali pensa che il silenzio su tutta la nebulosa della vita notturna che ruota attorno alla figura del tiranno Boro, sia la base dell'ordine politico tra i Gamuna e delle loro leggi mai scritte né enunciate. (Leggi che tutte le donne fingono di non conoscere, ma proprio in questo modo riescono a imporle meglio ai dubitosi mariti.) Boro sarebbe la figura del grande arbitrio della legge, nella deriva dell'ordine cosmico sotto il cielo stellato: "dalla punta del tetto sopra la mia testa alla punta della costellazione del Vitulé", dice una frase gamuna. Boro incarna l'arbitrio della legge che incombe sulla testa di tutti, e che un giorno o l'altro ci soffocherà nel sonno con i suoi eccessi. Sono appunti di Astafali che trovo nel suo quinto taccuino.

MARZO
LINGUA DEI GAMUNA

1. *Dopo cinque mesi di soggiorno*

Dopo cinque mesi Victor Astafali non era ancora riuscito a imparare una sola frase in lingua gamuna; invece il suo servitore Sempaté ormai se la cavava in quasi tutte le situazioni, e consigliava al padrone: "Vada in giro, parli con la gente, e vedrà che impara di più che da quel truffatore di Wanghi". Ma c'è voluto ancora del tempo prima che l'altro tentasse di dire una parola in quel dialetto impossibile. "Impossibile per le nostre bocche," scrive Astafali, che pur parlava cinque lingue ed era un provetto linguista fin dai tempi di Cambridge. Quando ha rivisto la Buabìa Sangìto, dopo mesi di ricerche, non riusciva ancora a spiccicare una parola. Non so niente di questi incontri, perché nei suoi taccuini non ne parla; comunque, prima di raccontare la sua storia con la Buabìa, sarà meglio che esponga le difficoltà della lingua gamuna.

2. *Mancano studi sull'argomento*

Nessuno conosce la provenienza dei Gamuna, benché si possa supporre che siano giunti nella loro sede attuale in tempi non lontani, provenienti dal deserto del sud ovest. È anche difficile capire a quale ceppo etnico appartengano, e neppure lo studio del loro dialetto ha aiutato gli esperti a chiarire il mistero. Bisogna tuttavia aggiungere che, prima del colonnello Augustín Bonetti, nessun esperto ha mai avuto il coraggio di dedicarsi allo studio di quel dialetto fino al punto da imparare a parlarlo; perché ciò vorrebbe dire andare a vivere per qualche anno tra i Gamuna, adattandosi alle loro deprimenti abitudini di vita, con quel senso di vacuità dell'esistenza che disturba il sistema nervoso. Per anni gli scienziati hanno sostenuto che bisognava inviare una scorta armata, con l'appoggio di qualche psicologo, per difendere la salute mentale di eventuali cercatori che si inoltrino in quel territorio. Ma neanche il contingente di paracadutisti inviato a sostegno di tre linguisti americani dell'università di Tulsa ha dato dei risultati. Finora nessuno è riuscito a compilare una grammatica della lingua gamuna.

3. Una lingua molto particolare

Il gamuna è una lingua a toni (come il cinese), dove un tono puntuale basso alla fine di certe parole ha un accento melodico molto riconoscibile. I forestieri hanno l'impressione che i Gamuna ascoltino soltanto la melodia delle frasi senza sforzarsi di capire cosa gli altri vogliono dire: questo perché, mentre uno parla, il suo ascoltatore canta sottovoce un motivetto che si intona con le armonie vocaliche dell'altro, e che sottolinea lo stato d'animo del parlante e il tempo musicale adottato. Ogni conversazione dipende da queste cose; e ogni frase è essenzialmente una musichetta che l'ascoltatore sa già o che può far finta di conoscere. Ad esempio: nella frase *be ta tar*, che significa "buon (questo) giorno", il timbro della prima vocale è influenzato solennemente dall'arcana armonia vocalica del deittico *ta* (questo). Questo crea una modulazione melodica su cui si intona l'interlocutore, ed è la cosa più importante in una conversazione. Ma la pronuncia della frase a sua volta dipende dallo stato d'animo del parlante, dallo scopo della conversazione, dalle condizioni della giornata (se piove o fa bel tempo, se fa freddo o fa caldo), e dal fatto che chi parla sia un uomo o una donna. Tutto ciò cambia la pronuncia, con un tempo musicale che varia secondo le ore della giornata. Si può capire perché, con tante complicazioni, uno straniero si trovi in difficoltà anche solo a dire buongiorno.

4. *Parlata gamuna secondo le ore*

Al mattino i Gamuna parlano con un tempo allegro, perciò si salutano in modo sveltissimo, a volte così istantaneo che sembra non aprano bocca. Nel pomeriggio adottano un tempo andante, e questo permette di scambiare qualche chiacchiera, fermandosi in un bar o sedendosi su un marciapiede, ma aprendo bene la bocca perché si veda che stanno parlando. A partire dal tramonto, il tempo della parlata gamuna diventa così lento che le parole sembrano restar sospese nell'aria, come un pigolio da rimandare all'indomani per la conclusione. Ma non solo il tempo della parlata cambia con le ore del giorno, cambia anche il modo di guardare, di sorridere, di gesticolare, di camminare, di litigare e di piangere. Scrive la sorella Tran: "Se mi addormentassi per una settimana, e svegliandomi vedessi delle donne camminare per strada, potrei dire con precisione che ora del giorno sia, solo osservando i loro movimenti. La leggerezza del loro incedere mattutino ha qualcosa di fanciullesco e sfrontato, che si trasforma dopo mezzogiorno in una sicurezza con molti indugi, elegantissima in tutte le mosse del corpo. E quando comincia a scendere il tramonto, c'è un che di pensieroso nel loro incedere, come se si ritirassero in sé, facendo meno attenzione al mondo esterno. Così è anche il loro sorriso, che al calar della sera diventa sempre meno espansivo, più delicato e tenue. Così è il loro modo di parlare, che si rallenta verso il tramonto, diventando sempre più laconico, fino ad essere una melodia di gola di cui cogliamo soltanto poche note, ma che porta in sé come l'eco d'una sfinitezza amorosa".

5. Sulla parlata notturna

È soprattuttto di notte che il dialetto gamuna diventa strano. Dopo una cert'ora, non soltanto i suoi suoni diventano straordinariamente lenti, ma gli interlocutori parlano a bocca chiusa, producendo dei mugugni melodici come un canto trasognato. Si dice che con quel canto sorgano in loro visioni. Ora, siccome i Gamuna amano parlarsi soprattutto di notte, facendo delle chiacchierate che chiamano "medicinali" (*orakiu suma*), tutte le loro convinzioni e tutti i loro ricordi li esprimono col tempo musicale della parlata notturna, nonché a bocca chiusa. Ed è un modo di parlare così lento che qualsiasi forestiero cadrebbe addormentato alla prima frase. Ecco un motivo per cui nessun esperto è mai riuscito a capire la mentalità gamuna: perché anche se arrivasse a imparare la loro parlata diurna, alla prima chiacchiera notturna non capirebbe se stanno dicendo barzellette, se parlino di visioni del deserto o emettano suoni a caso. E poniamo: un universitario che volesse cimentarsi con quelle conversazioni, cadrebbe in un sonno così profondo da fargli scordare i motivi scientifici della sua ricerca, la sua carriera accademica, e forse anche la strana idea di mettere in chiaro cosa pensano gli altri.

6. *Lo strano verbo* maen

C'è un altro aspetto di quella lingua che non si ritrova in nessun altro idioma. Raramente i Gamuna pronunciano una frase senza premettere una forma del verbo "dire" (*maen*), per cui le loro frasi suonano circa così: "Dice: la capra s'è persa nella brughiera, dove, dice, Fonghi è andato a cercarla, quando, dice, è venuta la notte". Gli studiosi americani dell'università di Tulsa si sono molto sforzati di capire chi sia il soggetto sottinteso del verbo "dire" (*maen*). Perché parrebbe che i Gamuna non vogliano fare nessuna affermazione in prima persona; e si direbbe che citino continuamente qualcuno che ha suggerito al loro orecchio le parole da dire. Dunque è come se un oracolo interno guidasse i loro pensieri, formulando tutte le frasi da dire agli altri che loro poi citano. Ma chi sarebbe quel grande suggeritore? Il colonnello Augustín Bonetti spiega che, a tale domanda, un Gamuna risponderebbe: "Dice: l'Essere del Largo Respiro parla. Dice: tu parli quando esce vento dalla bocca. E dice: il vento soffia parole dall'Essere del Largo Respiro". Insomma loro ritengono che ogni parola sia ispirata dal vento del deserto, che chiamano l'Essere del Largo Respiro. E di solito aprono la bocca per dire qualcosa, o mugugnano melodiosamente a bocca chiusa le loro chiacchiere notturne, ma soltanto quando sentono dentro di sé una ventosità che li spinge a soffiar fuori parole che turbinano nel loro intimo.

7. *Lo "scarico di vescica gonfia"*

È vero che quella ventosità può essere eccessiva, e i Gamuna sanno che può anche stravolgere il cervello d'un individuo. Infatti, se le parole turbinano troppo nei meandri del cuore, uno si sente importante e fa discorsi per vantarsi di sapere questo e quest'altro, di essere più furbo o più intelligente degli altri. Secondo gli anziani così parlano gli studiosi che certe volte sono venuti a visitarli, i quali pretendevano di capire la loro lingua con l'uso d'un registratore. Quel registratore era per loro il segno d'una vanteria morbosa, come quando uno non ascolta gli altri perché si vanta di aver già capito tutto prima ancora che finiscano di parlare. Per gli anziani questa è una malattia molto poco dignitosa, che loro chiamano "scarico di vescica gonfia" (*pisciola ke fanghi*), ed è un segno di demenza senile che però spesso tocca anche i giovani troppo spavaldi o spiritati. Tale malattia nasce dal fatto che l'Essere del Largo Respiro a volte si diverte a prendere in giro gli uomini; dunque li porta a parlare troppo o troppo seriamente, per renderli ridicoli. Ed ecco perché i Gamuna, nelle loro chiacchiere notturne, anche se il vento del deserto li spinge a discorsi travolgenti, preferiscono tenere la bocca chiusa e parlarsi per lenti mugugni in forma di canto trasognato.

8. *Parlata maschile e parlata femminile*

Nella lingua gamuna c'è anche una grossa differenza tra il modo di parlare maschile e femminile. Non solo cambia la pronuncia, la grammatica e il lessico, ma cambia anche la scala tonale che determina le armonie vocaliche. Questo fa sì che, quando un uomo e una donna si parlano, o l'uno adotta il modo di parlare dell'altro, oppure ne nasce uno sgradevole stridore di suoni dissonanti. Il che si nota bene nelle famiglie, quando marito e moglie litigano, e nessuno dei due vuole adottare il modo di parlare dell'altro per ripicca, e per giunta i due parlano insieme. Allora scoppia ciò che si chiama un cafarnao. Bonetti ha elencato i modi più frequenti con cui avviene una conversazione tra uomo e donna: 1) se i due non si conoscono bene, alternano la parlata maschile e quella femminile, in segno di cortesia reciproca; 2) se il maschio corteggia la femmina, usa la pronuncia femminile fino al momento in cui riesce a conquistarla e copulare con lei, poi basta, torna alla parlata maschile; 3) se il maschio sgrida o picchia la femmina, lei adotta la parlata maschile fino a quando lui si calma; 4) se la femmina deride il maschio per la stupidità della sua verga eretta, lui adotta la parlata femminile fino a quando lei non si pacifica e si lascia montare; 5) infine, se i due coniugi litigano e si detestano cordialmente, ognuno parla a suo modo, con un putiferio di suoni che fanno scappare via qualsiasi ascoltatore. Urla dei vicini: "Basta, basta! Fatela finita!" (di solito con parlata maschile).

9. Il fantasioso Bonetti racconta la sua vita

Il colonnello pilota Augustín Bonetti racconta come si sia abituato alle chiacchiere medicinali notturne, ma solo dopo uno sforzo durato sette anni (forse esagera). Era precipitato col suo aereo sfracellandosi nella brughiera, e per un anno dei pastori l'hanno curato, spartendo con lui il poco cibo di cui si nutrono, costituito soprattutto di radicchi, avena, latte e carne di pecora. Lui non sapeva niente di loro, non aveva mai sentito parlare di quel popolo, ed era stato trasportato in città, ospitato in una casa fatiscente dove tutti andavano e venivano come sulla pubblica piazza. Dopo un anno di convalescenza, curato da tre giovani donne che venivano ad assisterlo a turno, ha cominciato a pronunciare qualche parola in lingua gamuna. Ma non appena apriva la bocca tutti ridevano in modo sguaiato, battendosi la pancia e puntandosi un dito alla testa per dire che sembrava un matto; sicché lui era sempre più confuso nelle parole che tentava di articolare. Il fatto è che pronunciava le parole sempre allo stesso modo, sia che fosse mattina, pomeriggio o sera, sia che piovesse o facesse bel tempo, e sia che parlasse con una donna o con un uomo. Errori gravissimi, che inoltre appaiono molto ridicoli, come tra noi quando qualcuno canta una canzone in modo stonato.

10. *Un metodo per imparare le lingue estere*

Appena si è rimesso in forze, Bonetti ha cominciato a guardare con desiderio le tre donne che venivano a curarlo; e quello è stato il passaggio decisivo nel suo apprendimento della lingua; perché, dice, contemplando i fianchi, il seno, le gambe snelle e il viso franco delle sue infermiere, ha cominciato a sentire in cuore un soffio che gli muoveva le labbra senza che lui dovesse fare alcuno sforzo. Era così preso dal desiderio, da sentire nei ventricoli del cuore un soffio caldo che gli saliva fino alla gola. E quelle tre donne tanto gentili e tanto prosperose, ispirandogli l'appetito fortissimo di accoppiarsi con loro, lo hanno portato a imparare il dialetto gamuna perfettamente e in pochissimo tempo (forse esagera). Insomma, riassumendo: provava per loro un tale caldissimo amore, che le parole sgorgavano da sole sulle sue labbra come una melodia con i toni sempre giusti. Il vento del deserto gli insegnava tutte le cose da dire man mano che parlava, e lui doveva soltanto aprire bocca senza pensare a niente. Bonetti ha finito per sposarsi con le tre donne, andando a vivere con loro in una casa vicino alla porta orientale della città; ed è lì che ha iniziato a scrivere i suoi articoli, poi pubblicati da riviste di tutto il mondo.

11. *Il "tu sei questo"*

Ma ancora Bonetti non riusciva a seguire una chiacchierata notturna senza addormentarsi dopo poche frasi. Il motivo l'ha capito a poco a poco, e in un articolo lo spiega così: "Stavo troppo a badare alle parole, senza perdermi nelle visioni notturne che le chiacchiere medicinali portano con sé. Dunque per me c'era sempre questa alternativa, tra stare sveglio con molti sforzi per capire le parole, oppure cadere addormentato e avere le visioni". Poi un giorno ha capito che il legame amoroso con le tre mogli ostacolava il rilassamento dei ventricoli del suo cuore: pensava troppo a loro e non poteva abbandonarsi senza pensieri al sonno delle chiacchiere medicinali. Dicono i Gamuna: "La sposa dà piacere, ma le visioni medicinali non vogliono testimoni". Finalmente si è deciso a divorziare dalle tre mogli, cosa che loro hanno accettato di buon grado. Erano giovani, belle e simpatiche, glorificate dai raccontatori di storie per le loro mosse di fianchi; e hanno trovato subito nuovi mariti pronti a onorarle con doni e complimenti. Bonetti ha cominciato a recarsi ogni sera in uno di quei salottini su mucchi di macerie, che gli anziani consacrano alle chiacchiere notturne. Qui ha imparato ad ascoltarli nel buio, seguendo l'arcana armonia delle frasi; e ha cominciato ad avere delle visioni, a vedere i gesti e i casi degli uomini proiettati in uno spazio immenso. Ha cominciato a vedere tutto quello che gli uomini fanno per essere glorificati, per farsi compatire, per farsi amare, come una scintilla effimera nello spazio immenso. Infine ha cominciato a sentire il grande respiro del deserto che dice a tutti: "Tu sei questo" (*ta gama ku*). E quando uno sente il respiro del deserto, spiega Bonetti, prova il bisogno di raccogliersi a bocca chiusa nel suo "questo" (*ta*), cioè nel proprio "questo, qui, ora" (*ta, muna, ti*), che è lo stato in cui si hanno le visioni.

12. *Precisazioni sulle "chiacchiere medicinali"*

La cosa più importante da capire è che il sonno delle chiacchiere medicinali non è un sonno qualsiasi, come quando si va a letto e si dorme. I sogni notturni sono ciò che promuove le lusinghe quotidiane e che spinge ognuno a voler credere di essere qualcuno (un tipo speciale) per non credere di essere una nullità. Invece il sonno delle chiacchiere notturne a bocca chiusa ti insegna questo: "Nello spazio immenso tu sei qualcuno che non è nessuno, e le notti e i giorni vengono anche senza di te" (così recitano a bocca chiusa gli anziani). Dunque non è un sonno qualsiasi, ma un sonno di visioni nello spazio immenso, con cui si manifesta il respiro del deserto. Ed è il grande sonno della terra che all'inizio di tutto ha prodotto le visioni di fata morgana, origine del mondo sensibile che ci circonda. Quel sonno originario è chiamato "il Largo Riposo"(*mati maui*), con un suono lieve che calma ogni ansia.

13. *L'esperienza della sorella Tran*

La sorella Tran ha imparato a parlare la lingua gamuna solo dopo un anno e mezzo di silenzio, e anche la sua storia è istruttiva. Nei suoi diari racconta come sia stata accolta da una famiglia gamuna, e adottata come figlia dalla vecchia Ajraia. Poi scrive: "Ricordo una sera, usciti di casa dopo cena con Ajraia, eravamo sedute intorno a un fuoco, tutti parlavano, io credevo che non sarei mai uscita dal mio silenzio. Ricordo il cielo pieno di stelle, il suono delle voci, i bagliori del fuoco, e poi la prima frase che mi è uscita di bocca: '*Tam man ta*' (si sta bene qui). Tutti si sono sorpresi, perché mi credevano muta. Neanch'io ho mai saputo di preciso se sono muta o meno, e anzi ho spesso pensato che la mia balbuzie sia un modo per nascondere il mio mutismo. Ma quando ho cominciato a parlare, non balbettavo più. Se volevo dire qualcosa pensavo: 'Come direbbe Ajraia?'. Aspettavo che mi tornasse in mente un suono della sua voce; non pensavo a frasi ma solo alla sua voce; poi aprivo bocca e le parole venivano da sole, uguali alle sue. Anche ora posso dire solo frasi che diceva lei, dunque in un certo senso non sono io che parlo, è sempre Ajraia, ma nessuno fin qui se n'è mai accorto...".

14. *Una risposta di malaugurio*

In primavera è crollata l'ala sinistra dell'Hôtel Sémiramis, travolgendo tutti i posti per lo scarico degli intestini. Sempaté aveva già imparato a farne a meno e cacare all'aperto, assieme agli inservienti indigeni o gente di passaggio. Incitava Astafali a fare lo stesso, accucciandosi al mattino in fila con gli altri, tutti con i pantaloni abbassati dietro il muro del giardino. Secondo lui era un buon modo per imparare la lingua, perché durante l'evacuazione mattutina i maschi gamuna sono molto più espansivi del solito. Mentre spingono per liberare gli intestini diventano scherzosi e parlano di donne o di miraggi carnali (non lo fanno mai in altre circostanze). Sempaté è riuscito a convincere il suo padrone a mettersi in fila dietro il muro del giardino, anche lui accucciato con gli altri, e qui è successo un fatto increscioso. Quello vicino ad Astafali s'è dato a parlare di donne e della fessura che hanno davanti, volendo sapere cosa ne pensava lui, come straniero: se riteneva che la fessura femminile avesse dei denti che posson tagliare la testa del "pesce-che-si-insinua". Wanghi era occupato a liberarsi gli intestini e non ha fatto in tempo a tradurre quelle parole; allora Astafali rispondeva con vaghi cenni del capo, come per dire di sì. Ma deve aver dato una risposta che non è piaciuta a quel signore (tipo vestito di bianco, che poi si è saputo era un insegnante dei figli di ricchi). Fatto sta che quello s'è alzato con aria offesa, e prima di andarsene ha fatto al mio amico una profezia funesta: "Straniero, la tua fessura coi denti tu l'hai già trovata e ti tiene stretto. Vedrai che non ti lascerà mai più tornare al tuo paese". Astafali è rimasto fulminato per giorni da quelle parole, mentre Wanghi evitava il discorso guardando in aria, come preso da altri pensieri.

15. *Senza un posto dove tornare*

Non so quanto abbia contato la profezia di quel tipo vestito di bianco, ma ora i taccuini del mio amico diventano scarni e scarabocchiati; nelle frasi si sente una stanchezza che deforma la grafia, soprattutto le lettere *t* e *r*, sono piegate sotto un peso che le schiaccia. Oltre ad essere in caccia della Buabìa Sangìto, in quel periodo Astafali aveva desideri spasmodici per altre donne viste per strada, che forse gli avevano lanciato degli sguardi provocanti. Purtroppo tra i Gamuna non esiste la prostituzione, che è stata il porto di grazia della nostra gioventù. (Ai tempi di Cambridge, io e Astafali andavamo a Londra a incontrare due donne di mezz'età che ci guidavano in una casa dalle parti di Covent Garden. Non mi torna in mente come facevamo per fissare gli appuntamenti, ma conservo un buonissimo ricordo di quegli incontri.) Astafali ha fatto amicizia con alcuni avventurieri: un certo Schulz, tedesco, un certo Pirrip, inglese, un certo Frangipane, svizzero. Frequentandoli ha imparato anche lui a maledire i Gamuna, a trovare insopportabile il loro squallore, a detestare le loro fisionomie vacue. Intanto deve aver scoperto dove abitava la Buabìa, e andava a appostarsi per vederla passare. Un brano dei taccuini me lo fa supporre: "Quella strada, quel portico, quell'androne dove lei passa, quella gente che lei conosce, quel movimento della sua tunica, quei colori, quel viso, quella superbia, questa mia vergogna d'essere visto, questa stupidità e meschinità di tutto, questo senso d'essere perso, perso, senza più un posto dove tornare".

MARZO-APRILE
L'INCANTO GREVE DELLA TERRA

1. *Scene di vita domestica*

A Gamuna Valley si vedono palazzi a cinque piani come quelli parigini, con tetti piatti coperti di ghisa, balconi nell'attico da cui spunta la verzura dei giardini pensili, facciate decorate da stucchi, e ingressi con sovraporte in pietra dove sono scolpite figure mitologiche. All'interno, stanze piene di roba per terra, catini, vasi, attrezzi di cucina, legna leggera per cuocere il cibo. I Gamuna non usano sedie, ma piccoli treppiedi di legno; quando mangiano dispongono il cibo su un basso desco e masticano in silenzio guardando quei ritratti a olio dei precedenti abitatori, a cui sono molto affezionati. Sembra che quei ritratti abbiano assunto la funzione di Lari della casa, protettori della vita domestica. Le porte sono sempre aperte, e altri inquilini del caseggiato entrano spesso a chiacchierare oppure in cerca di litigi. Là sono tutti grandi appassionati dei litigi domestici, e dopo cena i maschi vanno a cercar briga in altri appartamenti, come per digerire. Le donne restano a casa, aspettando qualche sfuriata dei mariti per poi sfidarli con risposte taglienti, finché quelli si imbestialiscono e scoppia un bisticcio clamoroso. La sorella Tran conosceva bene tutto questo, per aver trascorso due anni in casa dell'Ajraia, sua madre adottiva. Nei diari racconta le liti tra l'Ajraia e Pigo Monghi, suo marito, più giovane di lei d'una ventina d'anni. Lui ogni sera ripudiava l'Ajraia dicendo che era vecchia, e giurava di andare a accoppiarsi con donne più giovani. Poi lottando a pugni e schiaffi i due cadevano sul letto e si davano a far l'amore convulsamente, finché Pigo crollava addormentato russando come un organo. Era il loro modo per liberarsi dei miraggi che avevano fatto nido nel corpo durante il giorno, così potevano dormire in pace per tutta la notte.

2. In una famiglia ognuno ha i suoi sognamenti

La sorella Tran aveva dovuto abituarsi a vivere in quel vasto appartamento d'un palazzo borghese, affollato di parenti chiassosi e marmocchi mezzi nudi, sempre in mezzo a litigi e rumori di colluttazioni tra mariti e mogli. C'era il marito di Ajraia, Pigo Monghi, e il cugino di Pigo, Figo Gonghi, e lo zio di Ajraia, Tichi Wanghi, e le mogli dei due figli di Ajraia (avuti col marito precedente), Puna e Songa, con sei bambini. Più un altro zio di Ajraia, cacciatore di conigli, che andava e veniva; più tre amici di Pigo che dormivano nel pianerottolo: un certo Songhi, vasaio, un certo Fonzi, venditore di bibite, un certo Chichi, guaritore di bestiame. Ognuno aveva una sua personalità speciale, una fisionomia speciale, e anche sognamenti diversi da quelli degli altri. Di notte, quando tutti dormivano dopo liti e copulazioni, si sentivano diversi modi di respirare e diversi ansimi, secondo il viaggio nel sonno che ognuno intraprendeva. Gli amici di Pigo, Songhi, Fonzi e Chichi, erano appassionati dei viaggi di Kattalyna, e al mattino enumeravano sottovoce le merci che avevano comprato o venduto nella trasferta notturna. Ajraia partiva verso la reggia di Boro Trai, ma era ormai troppo anziana per essere accolta nella stanza del tiranno, così restava sulla porta della fortezza a parlare con altre donne, eccitandosi a sentire le ultime imprese del sovrano. Invece Pigo non parti-

va in nessun viaggio nel sonno; sospirava e non faceva che ri-
girarsi nel letto, perché non accettava di sottostare alle norme del buon vivere che Ajraia gli imponeva. Lui si sentiva un
artista; voleva diventare un brillante raccontatore di storie;
voleva inventare storie che gli dessero gloria presso tutte le
nazioni, e rimuginando su questi desideri non si addormen-
tava fino all'alba.

3. Turbe che stimolano i pensieri

Buabìa Sangìto abitava in un grande palazzo borghese
sull'avenue centrale, vicino a quello dove abitava l'Ajraia.
Astafali aveva scoperto dove stava, e passava ore davanti al
suo portone per cercare di accostarla, o soltanto balbettare
qualcosa. In quel periodo ha osservato dei fenomeni che gli
sarebbero sfuggiti, se si fosse trovato in un altro stato d'animo; ed insieme allo smarrimento che provava, è sorta in lui
la limpida sensazione che la vita sia del tutto insensata: "Insensato star qui, insensato tornare a casa". In un altro punto
dice di aver studiato due articoli di Bonetti, sul sonno delle
chiacchiere medicinali e sul grande respiro del deserto. Ma
perché, quando era a Cambridge o Parigi non s'era accorto
del "tu sei questo" (*ta gama ku*), e non s'era mai accorto che
"nel grande spazio tu sei qualcuno che non è nessuno" (*uta-
mi ta gama pu*)? Doveva dipendere da qualcosa di caratteri-
stico nell'atmosfera della cittadina, qualcosa che lui percepi-
va nei suoi vagabondaggi, in conseguenza delle turbe malinconiche che lo affliggevano.

4. L'atmosfera di cui parla Astafali

Il capoluogo gamuna, con le sue baracche periferiche e
palazzi fatiscenti, i veicoli abbandonati ai bordi delle strade e

i vecchi pali della luce con i fili che pendono, potrebbe sembrare un pezzo di crosta terrestre staccatosi da qualche vecchia città europea. Ma quando vi si soggiorna per qualche tempo, si fa largo nella mente un'impressione più fondata: è l'impressione di trovarsi in un punto della terra di particolare grevità, per effetto d'un campo magnetico molto intenso. Tutto là sembra subire un'irresistibile attrazione verso il basso, anche ciò che altrove può sollevarsi dal suolo grazie alla sua leggerezza. Lo si nota dal volo degli uccelli, che da quelle parti quando scendono troppo in basso perdono quota, si agitano in cerca d'una corrente termica per risalire, ma poi stramazzano a terra pigolando. Attorno, in ogni direzione, si vedono pianure vastissime che in parte sono coperte dalla fitta brughiera e in parte sono propaggini del deserto sabbioso; e l'effetto generale che si avverte, camminando per le strade di Gamuna Valley, dipende da quello spazio eccessivo che avvolge tutto, producendo strani fenomeni ottici. Ad esempio: il tetto d'una casa, sullo sfondo di quello spazio troppo grande, sembra assolutamente desolato oppure stupidamente puntuto; e la stazioncina là in mezzo alle dune fa venire una gran tristezza per come appare inguaribilmente meschina, ottusamente persa nel vuoto illimitato. Non parliamo di quando scende il tramonto, la luce si attenua, le ombre sfumano, il cielo ti avvolge con un intenso colore violetto, e si vedono in giro gruppi di giovani gamuna che non sanno dove andare. Allora è come se alla sera non restasse più niente, salvo la stupidità dei giorni che si trascinano, e la sensazione di essere stupidamente persi nell'immensità, e l'aria meschina di tutto quello che si vede intorno. Così dice Astafali.

5. "L'incanto greve della terra"

Non si sa perché, ma la qualità riconoscibile in ogni strada, in ogni porta, in ogni spigolo di muro, appare effettivamente come una specie di grevità o stupidità particolare. È questo "l'incanto greve" (*krongha paf*) di cui parlano i Gamuna: un fenomeno a cui non è possibile sottrarsi, e che trascina tutto verso il basso, anche i pensieri. Secondo la sorella Tran è sempre come essere dei granelli di polvere sul fondo d'un catino, senza poter vedere cosa vi sia oltre l'orlo; oppure è come essere piantati nel suolo al modo degli arbusti che crescono a caso nella brughiera. Camminando per Gamuna Valley si vedono dovunque porte aperte, finestre spalancate, muri con l'intonaco disfatto e grandi crepe che ne preannunciano il crollo. Lungo le principali arterie, si incontrano file di automobili abbandonate, di cui molti si servono per i loro sonnellini pomeridiani, mentre altri dormono stesi sulle panchine di qualche giardinetto. Ecco una veduta del luogo, l'atmosfera che si respira nelle strade, come viene ripetutamente descritta nei diari della sorella Tran. Sono pagine in cui la suora vietnamita non si trattiene dall'esprimere la sua fascinazione davanti alla "potenza dei luoghi desolati", come dice spesso. "La potenza del luogo spoglio di attrazioni" scrive, "desolato perché è soltanto quello che è, senza le attrazioni di quello che dovrebbe essere. Questi effetti sono l'incanto della vita terrestre, che spesso si nasconde dietro un'aria d'abbandono, di stupidità o di desolazione..."

6. *Raduni nelle corriere*

In certe strade si trovano vecchie corriere dove gli anziani vanno a fare dei lunghi sonni pomeridiani, quando sentono la voglia di crollare per terra e dimenticarsi di tutto. Altre corriere sono adibite a posti di raduno per far chiacchiere, essendo luoghi calmi e raccolti. Qui ci si rifugia quando grava sull'animo il peso dello spirito del luogo, e dunque si percepisce più intensamente il senso di stupidità che invade tutto sullo sfondo del deserto. Il che avviene specialmente di sera e di notte, quando l'incanto greve della terra è più che mai avvertibile, e la necessità delle chiacchiere medicinali più che mai avvertita. Allora si sente di non essere veramente diversi dagli arbusti cresciuti a caso nella brughiera, ed un raduno di chiacchiere fa bene. Certe sere Astafali, passando davanti a una corriera sconquassata, attraverso il vetro vedeva quegli indigeni assorti nei loro mugugni melodici, e desiderava essere come loro.

7. Il tremolio delle cose che si stanno sgretolando

I Gamuna dicono che l'incanto greve "ti attira verso il *ta*": parola che per loro indica il "questo" (*ta*) dove l'individuo è piantato. Il *ta* è insieme l'incanto del vivere e l'uomo piantato nella terra, con la polvere che lo avvolge, e la deriva dei suoi sogni, e il suo modo d'esistere nell'allucinazione del mondo. I Gamuna vedono questo incanto del vivere come un tremolio delle cose che si stanno sfaldando nell'afa delle stagioni calde, o tra i barbagli della polvere che invade l'aria marzolina. Oppure lo vedono nelle cose che sono destinate a sgretolarsi, disfarsi e crollare per l'attrazione di tutto verso il basso. Così con questi sfaldamenti si crea attorno alla città una bolla d'aria tremolante in cui tutto, dicono, diventa "stupido come un cencio" (*pertuma bin*), tutto greve e insignificante. Ed è questa atmosfera che dà la voglia di crollare a terra, per ritrovarsi nel proprio "questo" (*ta*), nel "questo, qui, ora" (*ta, muna, ti*), come quando si sprofonda nel sonno.

8. Effetti della polvere

Ma perché tutta questa stupidità della vita? Cosa dicono i Gamuna?

La polvere del deserto è la causa della grande stupidità che si vede dappertutto, dicono, perché la polvere non sta mai ferma, offusca la trasparenza del cielo e stanca gli occhi, stanca il corpo, stanca i pensieri. Scrive la sorella Tran: "La polvere fine che viene dal deserto si insinua in ogni angolo, in ogni stanza, ricopre ogni oggetto, brilla nell'aria in controluce, e niente può bloccarla, né sbarramento, né porta o finestra sigillata. Perciò loro lasciano sempre porte e finestre aperte, affinché la polvere vada dove la porta il vento e non sia irritata da troppi ostacoli...". Se la polvere viene irritata e poi ti entra negli occhi, porta gravi disturbi, dicono i Gamuna: disturbi come il desiderio di non essere mai nati, e la tristezza dei giorni che passano, e la voglia di ammazzare qualcuno per sentirsi più forti. Invece, se si spande liberamente, la polvere del deserto dà a tutto un aspetto stupido o insignificante, ma non porta gravi disturbi mentali. Anzi, in questa forma liberamente volatile spande una virtù fondamentale su tutte le cose, che può infondersi anche negli uomini. "È la virtù di ignorarsi," scrive la Tran, "la virtù di ignorare se stessi come la terra ignora se stessa, di affidarsi all'incanto greve che trascina tutto, senza aver nulla da dire, nulla da lamentare..."

9. *Uno che non sopportava l'incanto greve*

Pigo Monghi non sopportava l'incanto greve. Non sopportava la stupidità della vita a Gamuna Valley. Non sopportava la tristezza di quando viene sera, né la meschinità d'ogni giorno che passa. L'Ajraia se l'era preso in casa quando lui aveva quindici anni; adesso era un giovanotto prestante e lei una donna ormai anziana. (Matrimoni del genere non sono rari, perché le donne gamuna provano una grande attrazione per i ragazzi che non hanno ancora la fisionomia dell'adulto medio.) Da Pigo l'Ajraia aveva avuto tre figli, ed era lei che mandava avanti la famiglia, facendo la sarta per le signore del palazzo e preparando filtri magici e succhi per curare varie malattie. Pigo s'era messo in testa di diventare un grande raccontatore di storie, e sapeva a memoria i miti più antichi, e sapeva inventare racconti su qualsiasi argomento. Appena cominciava un racconto si metteva in posa, cercava un modo brillante di dire le frasi, per farsi prendere sul serio da chi lo ascoltava. Però non sapeva raggiungere quel giusto livello di vanteria dei raccontatori applauditi; e più si sforzava di diventare brillante, meno riusciva ad avere successo, perché ci teneva troppo. Poi quando sentiva nel ventricolo del cuore che le sue storie non piacevano, si lasciava cadere per terra disteso e disperato. Ma non partiva in viaggio nei sogni; no, lui continuava a rimuginare, e dava la colpa ad Ajraia, che gli imponeva di vivere in modo normale, mentre lui avrebbe voluto scuotere il mondo con le sue storie, senza più sospiri e lacrime per la vita perduta.

10. *Stranieri in visita sulle dune*

Poco dopo la stagione delle piogge si è sparsa la voce che un gruppo di stranieri aveva piantato le tende nel deserto, non lontano dal "Sentiero degli antenati". Scesi dal cielo su un grande elicottero da trasporto, non si capiva perché avessero scelto di fermarsi proprio in quel punto. Erano ometti con occhiali da motociclista per ripararsi dalla sabbia, e passavano le giornate a guardare le dune. Sì, guardarle: ognuno stava fermo in piedi a osservare come i granelli di sabbia smottano giù dal crinale d'una duna, finché il filo del crinale diventa affilato come una lama e si sbriciola alla minima brezza. I pastori che passavano da quelle parti avevano diffuso la voce che gli ometti stavano a guardare le dune di continuo, dalla mattina alla sera, senza mai smettere. Però nel giro di una settimana l'interpretazione è cambiata, e dopo si diceva che gli ometti andavano a caccia di lucertoloni: di quei lucertoloni che alla fine della stagione delle piogge escono dalle profondità umide del suolo per depositare le uova a fior di terra. Si diceva che li aspettassero sul lato della duna per catturarli con reti speciali, appena mettevano la testa fuori dalla sabbia. Di qui sono fiorite varie leggende sugli ometti con occhiali da motociclista, e in quel periodo i raccontatori facevano ottimi affari raccontando aneddoti favolosi e spacciando storie inverosimili.

11. *Lo spirito del luogo invade un tedesco*

Un giorno due di quegli ometti con gli occhiali da motociclista sono venuti in città; sono passati davanti all'Hôtel Sémiramis e Astafali li ha invitati a bere una bibita. Erano due tedeschi bassi, di mezz'età, e rispondevano cortesemente a ogni domanda. Hanno detto che stavano facendo delle prospezioni minerarie, ed erano rimasti molto disturbati dai miraggi del deserto; erano rimasti molto disturbati perché quelle illusioni ottiche che spuntano dalle dune sembravano una sfottitura della loro buona fede. Era un'esperienza che non riuscivano a sopportare, così lontani da casa e con la nostalgia della famiglia. A questo proposito uno dei due ripeteva: "M'è venuta una gran tristezza". Costui sulle prime era sembrato ad Astafali un buon conversatore, ma dopo ripeteva soltanto quella frase. L'altro gli ha detto: "Fritz non dovresti ripetere sempre le stesse parole". E lui: "Hans, m'è venuta una gran tristezza". Erano due uomini umili, ma caduti anche loro in balia dell'incanto greve, senza capire che quello era un fenomeno speciale di Gamuna Valley. Quel giorno dovevano andare a cercare il supermercato vicino alla brughiera, e Sempaté li ha accompagnati. Poi ha riferito che quel Fritz s'era messo perfino a piangere, sentendosi troppo triste e lontano da casa, mentre fissava lo spigolo d'un palazzo sullo sfondo del deserto. Evidentemente sentiva troppo gli effetti del luogo e forse aveva una speciale predisposizione a sentirli, come Astafali nel suo periodo di malinconia. Pochi giorni dopo gli ometti sono rimontati sul loro grande elicottero e nessuno ha saputo cosa avessero scoperto con le loro prospezioni.

12. *Un altro fiasco di Pigo Monghi*

Appena Pigo Monghi ha sentito parlare degli ometti con occhiali da motociclista sbarcati nel deserto, ha pensato di approfittarne per diffondere storie sensazionali e diventare famoso. S'è inventato che gli ometti andavano in cerca della salamandra d'oro, animale mitico che aveva guidato i mitici antenati attraverso il deserto. Effettivamente sembrava una storia mai sentita, e molti erano disposti a pagare qualche foglia di kefar per passar la serata ascoltando quei racconti. Ma dopo una settimana, mentre Pigo una sera era a casa d'un ricco venditore di spezie e stava raccontando le sue storie sulla salamandra d'oro, ecco che si presenta un raccontatore traumuna e gli fa: "Ehi tu! Qui con me ci sono due testimoni pronti a giurare che quelle storie le ho raccontate io per primo, sei anni fa. Se tu vai ancora in giro a raccontarle, io torno e ti spacco la testa!". Cos'era successo? Pigo aveva plagiato le storie di un altro? Può darsi. Ma di sicuro la minaccia non è stata sottovalutata, perché i Traumuna sono violenti. Così anche quella sera Pigo è tornato a casa con uno sguardo serale dell'uomo deluso, che vuol dire: "Ma perché faccio tutti questi sforzi? A cosa serve?". E neanche il miraggio di avere successo ed essere applaudito in futuro, gli levava più il pensiero dell'incanto del vivere che rende tutto così illusorio e senza garanzie.

13. *L'interpretazione gamuna della forza di gravità*

L'incanto greve di cui parlano i Gamuna non è che la forza di gravità, da loro descritta come l'incanto del vivere, trascinante e fatale. Gli adulti non amano parlarne ma s'intendono attraverso immagini. Ad esempio: qualcuno posa lo sguardo su una ragnatela e la vede tremare per un colpo di brezza; oppure alza gli occhi a guardare le nuvole e le vede sfilacciarsi nel vento; oppure si fissa su una crepa nel muro e vede che si è allargata rispetto a ieri; oppure contempla una goccia che pende da una grondaia ed è sul punto di cadere – in questi casi prova il sentimento del disfarsi, del cedere di tutte le cose lentamente o all'improvviso. Allora comincia a pensare al suo amico Donghi, al cugino Wanghi, a suo zio Fonghi, e sente che la rete di abitudini che li ha uniti è destinata a sfaldarsi per via della forza irresistibile che trascina tutto in basso. Ecco l'incanto del vivere, come un sogno sospeso sopra l'abisso di centomila ripetizioni, frusciante tra suoni lievi e improvvisi sfasci.

14. *L'interpretazione gamuna dell'avvenire*

C'è un altro aspetto di quell'incanto, che solo i profeti gamunici sanno dire in modo melodioso. Col sentimento dell'incanto greve, l'avvenire non è più là davanti che ti aspetta, dicono i profeti del Bahranel, ma ti avvolge all'intorno in tutte le cose. L'avvenire si vede dovunque come un'onda che viene e ti trascina, ma spazza anche via l'altalena di speranze e timori, perché avvolgendoti ti guida e ti culla con la "dolcezza del tremolio" (*ouina ki truntrun*). Quella è la dolcezza delle epoche mute, la dolcezza dell'inizio dei tempi, quando c'era solo l'alta cupola del cielo e nessuno sapeva d'essere capitato in un'allucinazione.

MAGGIO
DALLE CITTÀ DELL'INTERNO

1. *Preludio sul motivo della vita inconscia*

Io immagino la brughiera a est di Gamuna Valley come quei terreni che si incontrano da queste parti, dopo il passo montano di Caumont l'Éventé, quando si scende verso le pianure e i pascoli del Bessin, fino alle spiagge della Manica. Là ci sono dei terreni molto permeabili, con intrichi di corsi d'acqua che si disperdono al livello del suolo, tra muschi ed erbe di praterie spugnose. Nessun argine, rare le case, nessun addomesticamento del paesaggio, a parte le strade e le siepi. Oltre le siepi si vedono bassi costoni collinari, e valloncelli solcati da profondi borri, e lì ruscelli senza un letto stabile scompaiono per riapparire più lontano come un sistema di vene a fior di terra. Etc. Oltre la brughiera dalle parti del Muskadù, andando verso est si arriva a un terreno duro e giallastro, e qui inizia il grande deserto sabbioso che porta alle periferie delle città dell'interno. Al limite del deserto i pastori gamuna si fermano ad ascoltare le mormorazioni del vento, a volte con visioni davanti agli occhi che non riescono a capire. Sono strane visioni della vita: la quale vita, dicono, non è che un lungo mistero inspiegabile per ognuno che deve attraversarla. I pastori gamuna lo sanno e non se ne stupiscono più; ma siccome tutto circola e gira nella grande allucinazione del mondo, le visioni dell'inspiegabile vita si ritrovano dappertutto. E scrivendo le vedo anch'io ogni tanto là fuori, negli ammassi di cose senza nome, sui pendii del massiccio armoricano, e giù nelle piane del Bessin: tutta la vita inconscia che si muove tra i pascoli, i castelli normanni, i borghi sperduti e le spiagge scoscese sulla Manica. Poi di sera sento qualche macchina lontana sullo stradone che va a Falaise, il belato delle pecore, e il suono della televisione in casa dei signori Poussard (miei padroni di casa).

2. *Viaggio nelle metropoli dell'interno*

In una lettera Astafali racconta le difficoltà incontrate nella capitale dell'interno per ottenere il permesso di recarsi a Gamuna Valley. "Città immensa di cui nessuno conosce i confini," scrive, "gremita di spettacolari insegne che invitano ai viaggi, al rapido consumo d'ogni cosa, e dove nessuno ascolta veramente cosa stai dicendo. Qui ogni incontro è basato su poche formule per risolvere le necessità di contatto e subito passare ad altro. Sembra che l'unica virtù sociale a cui tendere sia la soluzione immediata dei problemi secondo risposte prestabilite. Diventa impossibile far capire a qualcuno le ragioni per cui voglio andare nel paese dei Gamuna." Negli uffici governativi gli spiegavano che quella è una zona dove ci si ammala facilmente e un forestiero non ha modo di essere curato. Un opuscolo governativo consigliava la visita delle zone costiere del sud ovest, vantando la cordialità degli abitanti e la bellezza delle spiagge, mentre a proposito dei Gamuna diceva soltanto: "Piccola popolazione di incerta origine, arretrata e inospitale". Questa è l'opinione diffusa nelle classi istruite delle province dell'interno, dove si ritiene che i Gamuna siano tutti stupidi, oziosi e intrattabili. Molti li indicano come un popolo che manca di senso della realtà, che passa il tempo a fantasticare sulle allucinazioni desertiche e non fa niente per migliorare le proprie condizioni di vita. Del resto la miseria in cui vivono, dicono altri, senza dubbio produce in loro effetti deleteri, con grave deterioramento del loro stato psichico, cosa molto evidente.

3. *Cosa dicono gli scienziati*

Circa le idee gamuna sui fenomeni di fata morgana, alcuni scienziati hanno già espresso il loro parere. La vita come un'allucinazione? Il mondo come un miraggio che può sparire ogni momento? Secondo gli scienziati, i Gamuna soffrono di una miopia congenita di cui non si rendono conto; ed essendo miopi vedono le cose in maniera confusa, appunto come baluginanti miraggi del deserto. Per questo si fanno tante idee insensate sul mondo come un'allucinazione che si estenderebbe dovunque, avvolgendo tutto quello che gli uomini credono di vedere, di toccare o di possedere veramente. Molti sociologi hanno decretato trattarsi di suggestioni mistiche, collegate a credenze mitologiche che sopravvivono nei profeti gamunici del sud ovest; ma in sostanza fantasie assurde, che quei miseri desertani abbandonerebbero subito se si mettessero un paio di occhiali davanti agli occhi. Sulla stampa delle città dell'interno si evita di parlare della loro concezione della vita, considerata molto deprimente. Si ritiene che potrebbe produrre reazioni di disgusto nel pubblico, con grave caduta nelle vendite dei giornali e forse una crisi di governo. "Si parli pure dei Gamuna, ma non si parli di miraggi," dicono i consiglieri del presidente Parson G. La Robbia, "e ancor meno si parli del mondo come di una scintilla d'iridescenza che può spegnersi d'improvviso. Noi siamo liberali, ma certe idee non possiamo accettarle!" (Intanto le signore della capitale sussurrano: "Dio mio, che angoscia fanno venire quei Gamuna!".)

4. *Alla ricerca dei profeti gamunici*

Prima di intraprendere il viaggio verso Gamuna Valley attraverso le pianure dell'Onianti, Astafali aveva voluto visitare le immense periferie dell'interno, tra Santo Dios e Majaderia del Este. Aveva sentito parlare dei profeti gamunici che in quelle zone vanno predicando una specie di fine del mondo; oppure, secondo altri, diffondono la rivelazione dell'origine terricola dell'uomo (il quale sarebbe nato in epoche lontanissime da una specie di insetti che abitano nelle entragne della terra). Astafali è partito con un fuoristrada ed un autista locale, guidato da una bussola e da apposite mappe militari, senza le quali non ci si inoltra in quei sobborghi sconfinati. Ha viaggiato per due giorni senza riuscir a vedere niente attorno, per i giganteschi gorghi di polvere che avvolgono tutto il paesaggio. La seconda sera è arrivato in un motel gestito da una famiglia di polacchi, e dalla finestra della sua camera ha visto in distanza le prime luci di Majaderia del Este, lontanissime nel vuoto del deserto. Là predicavano i profeti gamunici, nelle propaggini di miserabili periferie cresciute in un assoluto *nowhere land*. Se voleva andare a vederli, gli hanno detto, avrebbe fatto bene a travestirsi da pezzente per non essere attaccato da fanatici. Se poi si fosse trovato preso in un rastrellamento della polizia, avrebbe fatto bene ad arrendersi subito per non essere mitragliato a morte. Il polacco gestore del motel lo sconsigliava di andare; il figlio del polacco era pronto ad accompagnarlo; la moglie del polacco temeva che quella spedizione potesse compromettere il suo motel. L'indomani a tarda notte Astafali e il figlio del polacco si sono trovati in mezzo a una calca di straccioni macilenti che ascoltavano un profeta gamunico, vociante in piedi su un cassone dell'immondizia. Il profeta sbraitava frasi nella lingua franca delle città dell'interno; l'unica luce era quella d'un falò di legname che bruciava dietro la folla, lanciando bagliori sparsi sul magrissimo oratore. Tra i gesti violenti che faceva, le rauche grida che mandava, e i bagliori che lo illuminavano da dietro per guizzi discontinui, quel profeta aveva l'aria d'un povero pazzo che si agiti per avere ragione davanti all'assoluto.

5. Nelle periferie del Bahranel

Astafali è tornato, una notte, due notti, tre notti, ad ascoltare i predicatori che lanciavano al vento le loro profezie, tutti magrissimi, occhi sconvolti, voci stentoree. Astafali non capiva la loro lingua, ma il figlio del polacco ha trovato un interprete delle periferie, che aveva il dono di ricordarsi quasi tutte le parole d'un discorso anche di un'ora. Si chiamava Pero Markus, e nei giorni successivi costui ha trascritto tutte le parole gridate nella notte da un paio di profeti sdentati. Ma qui Astafali fa una scoperta. I pezzenti che ascoltavano con tanto entusiasmo quelle parole, non potevano capire neppur la metà di cosa dicessero, perché: a) erano spesso parole in una lingua arcaica; b) non era mai spiegato di cosa parlassero; c) erano pronunciate a raffica in modo incomprensibile; d) per lunghi momenti erano soltanto modulazioni a bocca chiusa. La bravura di Pero Markus stava nel ricordarsi non soltanto le parole che capiva, ma anche i suoni che non sapeva interpretare, e che però riusciva più o meno a trascrivere. Astafali chiedeva: "Se non capiscono niente dei loro discorsi, perché le folle danno tanti segni d'entusiasmo per i profeti?". È stato così che ha trascinato il figlio del polacco e Markus e l'autista in un'impresa estremamente azzardata. Si trattava di sbarcare in quel quartiere, fare un'inchiesta in vari palazzi, scoprire se ci fossero codici segreti con cui i profeti gamunici rivelavano le loro vedute al popolo. Arrivati verso il tramonto, i quattro non hanno fatto in tempo a scendere dal fuoristrada, che una folla di pezzenti li ha circondati, come se tutti sapessero i loro piani. Premevano intorno e li guardavano fissamente con aria di rimprovero, senza dire niente; finché si è fatto avanti un profeta esile e smunto, con veste a brandelli, ma che parlava un buon inglese. Si è rivolto ad Astafali come se lo conoscesse: "Ti ho visto ieri mentre profetavo. Ma perché sei venuto? Perché vuoi sapere? Solo per metterlo nei tuoi libri? Vai per la tua strada, uomo di altre nazioni".

6. *Una fisionomia che riemerge dal passato di Astafali*

Il mio amico era partito da Parigi con l'idea di scrivere un libro sul paese dei Gamuna, ma iniziando dalle periferie delle città dell'interno, e in particolare dai misteriosi profeti gamunici che fino ad allora erano rimasti inaccessibili o del tutto sconosciuti ai viaggiatori. Quello che aveva in mente era un problema dibattuto nelle città dell'interno: che rapporti di parentela ci sono tra i Gamuna di Gamuna Valley e le masse di indigeni sparse nelle periferie tra Pequeño Grande, Santo Dios, Coma South e Majaderia del Este? Viaggio fallito, ma impressioni vivissime di quei sobborghi sperduti: chilometri e chilometri di palazzoni fatiscenti, nelle brulle lande del Bahranel orientale, dove l'aria è perpetuamente invasa da gorghi di polvere che rendono il cielo grigio. Vivissima impressione anche avuta da quel profeta esile, che li aveva pregati di tornare alle loro nazioni perché l'oracolo gamunico non poteva avere nessun significato per loro. S'erano stretti la mano e Astafali s'era accorto che quell'uomo aveva i tratti del volto, il colore della pelle, il tipo d'occhi, e lo stesso riserbo degli zingari che aveva visto da bambino andando in viaggio con suo nonno nelle pianure dell'Eufrate.

7. *Il prof. Pistani (o Pisquami) di Pequeño Grande*

Tornato a Pequeño Grande, s'era ritrovato nella borsa le trascrizioni dei discorsi dei profeti fatte da Pero Markus, che lui non era in grado di leggere. S'è anche ritrovato in tasca un foglietto stampato, che quel profeta esile gli aveva messo in mano prima di congedarsi. Una nota nel foglietto spiegava che il testo era una preghiera dell'antica lingua targu, tradotta nel corrente *palaveral* (lingua franca) dell'interno. La preghiera dice così: "O nostro signore del niente che sei il niente, vieni ti aspetto o sconosciuto, cercate di essere piccoli e non fatevi grandi, cercate di non crescere e di perdere tutto, andate a parlare ai ladri nelle tombe dei re, ditegli che possono prendersi ogni cosa, molto meglio loro dei pazzi d'orgoglio spaventati dal niente". Pochi giorni dopo il mio amico ha trovato un vecchio studioso italiano, capace di leggere le trascrizioni di Markus e di interpretarne il senso. È andato subito a trovarlo e gli ha messo davanti i fogli da esaminare. L'esperto era un tipo basso, segaligno, con accento napoletano e un naso spropositato. Secondo questo prof. Pistani, la lingua dei profeti gamunici sarebbe una lingua falsa, artefatta, copiata da vecchi canti, e che serve per non dire niente, per non dire niente in assoluto. Ma se uno legge ad alta voce quelle frasi, sentirà una lingua musicale, come le nenie a bocca chiusa dei Gamuna. Dunque quei testi mostrano che i profeti delle periferie non diffondono le loro rivelazioni tramite il senso delle parole, bensì tramite suoni o risonanze. Questo prof. Pisquami, o Pistani, era un fanatico degli articoli di Bonetti, e ha detto ad Astafali di leggerseli tutti; poi gli ha detto di studiare anche la teoria matematica dei flussi oscillatori, applicata da Bonetti alle concezioni gamuna. E sulla porta ha concluso: "Vada, vada, si applichi, e alla fine capirà di cosa si tratta. Io non posso dirle altro".

8. *Altro incontro*

Mentre Astafali era in attesa di partire per l'Onianti, è stato invitato a pranzo in un celebre ristorante di Pequeño Grande, al ventesimo piano del grattacielo Prudential. Chi l'ha invitato era il direttore d'una casa editrice, per proporgli di scrivere un libro sui Gamuna. Il mio amico ha trovato la proposta interessante, avendo già in programma di dedicarsi a uno studio di quel popolo. Ma subito l'editore lo ha avvertito che il suo libro avrebbe dovuto essere interamente revisionato dagli esperti della sua casa editrice, in modo da presentare un'immagine dei Gamuna non troppo nuova, né troppo cruda e sconfortante. La loro immagine corrente è ben definita, stereotipata e soddisfa tutti, inutile ritoccarla o trasformarla, diceva l'editore. I Gamuna sono un popolo arretrato, che vive in uno stato di miseria avvilente, ma che con gli aiuti del governo potrebbe essere avviato sulla via del progresso. Mancavano soltanto dei racconti un po' più vividi e più diretti, più approfonditi e meno allucinanti sulla vita di quella gente. Quanto ai profeti gamunici, non si poteva assolutamente parlarne; è un argomento illegale, per le dottrine sovversive racchiuse nelle loro predicazioni, e già vietato dalla polizia di tutti gli stati. Ma la cosa che ha più colpito Astafali è la specificazione fatta dall'editore, secondo il quale i Gamuna avrebbero dovuto essere mostrati nel suo libro come materia grezza, massa inerte, quasi materiale organico rimasto allo stato informe di natura. Questa è la metafora progressista che circola nelle città dell'interno: i Gamuna come materia grezza da portare alla luce della ragione con aiuti economici e l'istruzione obbligatoria. E il libro di Astafali avrebbe dovuto mostrare meglio un tale stato di vita inerte, abbandonata a se stessa, come un problema che dovrà essere affrontato dalle grandi nazioni civili.

9. Un dibattito culturale in corso

L'immagine materica dei Gamuna è stata diffusa da una corrente di intellettuali progressisti dell'interno. Tra questi andavano di moda gli articoli di Bonetti, ma si lamentava la mancanza di seri studi che chiarissero la psicologia complessiva di quei miseri desertani. Come pensano i Gamuna? Ci amano, ci odiano? Oppure ci invidiano soltanto? "L'invidia non è un buon sentimento," aveva detto il presidente Parson G. La Robbia. "C'è bisogno di studi scientifici? Ebbene, si facciano questi benedetti studi scientifici!" Sì, ma quello rimane il problema di fondo, rispondono i progressisti dell'ovest: perché quegli studi non ci sono, e le masse inerti non si sa come prenderle senza una chiara idea dei loro processi mentali. Ecco come stanno le cose, per effetto della complessità, dei grandi numeri, e delle scienze che ancora non ci hanno spiegato tutto quello che c'è da spiegare, dopo tanti anni che ce lo promettono! Per forza il governo federale non concede le sovvenzioni per il piano di soccorso a popoli come i Gamuna, i Traumuna, i Gattuma e i Matuma del sud. In ottobre si terrà a Santo Dios un convegno su questi argomenti, con partecipazione di esperti americani, brasiliani, francesi, tedeschi, etc.

10. Rimuginazioni

Astafali ha ripensato spesso alle idee dell'editore di Pequeño Grande. "Forse agli occhi d'uno straniero," scrive nei suoi taccuini, "i Gamuna possono apparire solo come masse inerti, materia grezza da usare, senza individui che si distinguano dalla massa amorfa. Ma potrebbe essere che loro vogliono apparire così ai nostri occhi, perché ci considerano animali d'una specie diversa, di cui non c'è da fidarsi. Dunque ci avvolgono con quel miraggio per tenerci a distanza.

Sarebbe una difesa organica che rende l'uomo meno esposto alle nostre lusinghe, e più calato nell'indifferenza del cosmo..." Così rimuginava per mesi il mio amico, cercando di scrivere quel libro sui Gamuna che non ha mai scritto.

11. *Pigo fugge non si sa dove*

La sorella Tran racconta che il matrimonio tra Pigo Monghi e l'Ajraia andava a rotoli. Dopo l'episodio del raccontatore traumuna che gli aveva rubato le storie sulla salamandra d'oro, Pigo era in uno stato d'abbattimento completo; avrebbe voluto non farsi più vedere in giro; ma non sapeva dove andare, non trovava la strada; passava le giornate dormendo e non parlava più all'Ajraia. Però era sempre un bel ragazzo, non ancora del tutto rincretinito dalla paura di vivere. Le inquiline del palazzo gli mettevano volentieri gli occhi addosso, e pensavano a lui come un amante giovane che avrebbero voluto tirarsi in casa. Poi un'inquilina c'è riuscita, con la scusa di rivelargli i segreti magici di suo marito; siccome suo marito era un celebre raccontatore di storie che incantava tutti con dei trucchi da stregone. Un giorno l'Ajraia ha fiutato il tradimento e subito come una furia è piombata in casa dell'inquilina, con due serpenti in mano da gettarle addosso. Erano serpenti evocati per magia, tutti verdi, grossi e spaventevoli; sicché la vicina si è buttata giù per le scale maledicendo le voglie amorose e tutta la stupida esistenza. Pigo si è dato alla fuga sui tetti e non si è più visto. Il tempo è passato e nelle pianure dell'Onianti ci sono state molte guerre; a Gamuna Valley sono successe molte cose; Augustín Bonetti ha scritto molti articoli; molti avventurieri sono arrivati e spariti come fumo nell'aria, e intanto nessuno ha saputo dove fosse finito Pigo Monghi.

12. Come l'Ajraia è guarita

I tre amici Songhi, Fonzi e Chichi per un anno hanno cercato di rintracciare Pigo sui circuiti di Kattalyna, chiedendo notizie in tutti i centri commerciali. Anche l'Ajraia si è persa a lungo nei percorsi del sonno; non riuscivano più a svegliarla, il suo corpo era come morto. Poi quando s'è svegliata urlava dal dolore, invocava come una pazza il tiranno Boro, perché la schiacciasse sotto il suo peso e le straziasse il seno con le sue unghie lunghe cinque metri. La sorella Tran la vegliava giorno e notte. Poco a poco la malata si è ripresa e ha voluto andare fuori, camminare per la brughiera fino a dove la brughiera diventa una specie di savana sabbiosa con radi alberi e arbusti. Poi Ajraia ha voluto salire sulle prime alture del massiccio basaltico e contemplare dall'alto il deserto, sentendo le vertigini dell'allucinazione di fata morgana che le venivano addosso. Questo l'ha guarita. Lassù c'è un punto in cui non si ha più voglia di vacillare, perché si sente un'intimità con il mondo esterno che altrove è sconosciuta. Forse è l'effetto del posto, dove grosse lucertole si cuociono al sole e grossi ragni portano sulla schiena un disegno stellato. Ad ogni modo, guardando in basso da quel punto viene l'idea di non essere più persi nel mondo. Così dice la sorella Tran. Infatti da quelle parti si vedono spesso dei Gamuna in cerca di uova di lucertola, che camminano con il corpo meno floscio del solito e con lo sguardo sostenuto, come dire: "Vedete? Io vado in giro senza paura". In poche parole, l'Ajraia s'è rimessa e ha dimenticato completamente Pigo Monghi.

13. Nuovo matrimonio, nuova gloria

In quel periodo di lutto (una donna abbandonata dal marito è considerata in lutto) l'Ajraia si era confezionata dei vestiti sfarzosi, d'un colore verde smeraldo, turchese, rosso fucsia – colori che attirano molto i maschi nei mesi in cui cercano di accoppiarsi con una donna. Vagava con quei vestiti, fermandosi a chiacchierare nei mercatini e lanciando occhiate di fuoco a tutti gli uomini. Di sera al passeggio sulla via centrale molti giovani imberbi s'interessavano a lei, perché il suo fascino era imbattibile e molti sussurravano che passasse le notti nel letto del grande despota dei sogni, lo spampanato Boro. Con quei vestiti nuovi era la donna più ammirata, più ricercata, più desiderata del terzo quartiere. Un mese dopo era sposata con un raccontatore di storie tra i più reputati a Gamuna Valley, tipo muscoloso, vestito con tuta da ginnastica e berretto da baseball all'americana. L'Ajraia gli ha raccontato la storia di Pigo Monghi, e lui ne ha ricavato un successo immediato: ne ha fatto una favola struggente, che tutti volevano ascoltare e che portava molta gloria all'Ajraia, come donna bella, forte, intelligente e senza paura.

14. *Su una mutazione della specie umana*

Alla fine del suo primo anno nella cittadina, Astafali s'era convinto che nei Gamuna stesse avvenendo una mutazione della specie umana, che tutto annunciava ma che solo lui aveva intravisto. La mutazione in corso, secondo lui, era questa: l'uomo che si ritira nella propria oscurità materica, come in un antro oscuro pieno d'organi in cui nessuno potrà mai più specchiarsi o identificarsi. Non lo lasciavano intendere anche i profeti del Bahranel, quando dicevano che l'uomo era nato dalla terra come un insetto e sta per tornare a una vita da insetto? Astafali ne parlava con Bonetti e l'Elissa Keleshan, che lo ascoltavano perplessi, preoccupati per la sua salute mentale. Durante l'innamoramento per la magnifica Buabìa gli era venuta quell'idea fissa – dell'uomo che si ritira nella sua oscurità materica, per nascondersi agli altri viventi e anche a se stesso.

GIUGNO
COSMO GAMUNA

1. *Divagazione al principio di giugno*

Al mattino presto le strade del capoluogo gamuna sono deserte, tranne per i pastori che escono dalla Porta Est con il bestiame, pecore e vacche, qualche capra. Dopo spuntano donne e uomini con sacchi in spalla o carriole a mano, che portano al mercato pezzi di montone, noci di trepeu, semi di eftla, foglie di kudar, succhi medicinali e altri prodotti orticoli da vendere. Nei mercatini si vedono scene con le contrattazioni che ho già descritto, litigi per non farsi imbrogliare, discussioni, etc. Negli ultimi tempi però molte donne non vogliono fare più quelle scene, che sanno troppo di primitivo. Preferiscono le merci a prezzo fisso, dove non c'è da litigare, e allora vanno a comprare lo scatolame in quel supermercato aperto da un affarista di Bombay ai limiti della brughiera. Così sul tardo mattino vedi quelle donne che dopo aver comprato lo scatolame si radunano a far chiacchiere sotto la tettoia crollante del supermercato. Mi piacerebbe sapere come sono vestite, e ascoltarle mentre parlano dei loro amori. Siamo a giugno, dormo poco, ma questa casa è fresca anche nelle ore afose: vecchia casa di campagna con scala di legno scricchiolante, di notte piena di piccoli suoni.

2. Nel grande wadi del tempo

I Gamuna non immaginano il tempo come qualcosa che scorre, ma come un grande wadi dove l'acqua è stagnante e non succede mai niente di speciale, a parte l'ordinario sciacquio e il volgersi delle stagioni. Nella grande valle o catino della vita in cui si sentono piantati, nel grande wadi del tempo immobile, sotto il cielo che lo ricopre come un'altissima cupola, non esiste per loro alcuna misura fissa né in altezza né in estensione. Tutto è fluido, tutto è mosso da piccole correnti come quelle d'un wadi in primavera – comprese le misure, le latitudini e le longitudini dei luoghi, che secondo loro sono sempre variabili. Ed è il motivo per cui gli esperti delle città dell'interno non hanno mai potuto avvalersi dell'aiuto dei Gamuna nel tracciare le mappe del loro territorio, nonostante varie spedizioni di paracadutisti per convincerli a rivelare le loro conoscenze in materia. Anzi da tali interrogatori è emerso che i Gamuna hanno solo idee vaghissime circa la collocazione e l'estensione delle plaghe sub-desertiche in cui abitano, nonché un'idea assolutamente aberrante del mondo in generale, come un pantano tanto inutile quanto immobile, in cui non succede mai niente di notevole.

3. Quelli che "credono sia successo qualcosa"

Nelle loro chiacchiere notturne, ascoltando l'arcana armonia vocalica prodotta con un tempo lentissimo, gli anziani gamuna hanno spesso la visione degli scienziati o esperti vari venuti dalle città dell'interno. E vedono che anche loro sono in balia all'incanto greve che agisce sui piedi degli uomini, per effetto d'un fenomeno che attira tutte le cose verso il basso. Anzi, vedono quegli uomini più che mai mossi da un greve spirito territoriale, ma con addosso anche un'inspiegabile agitazione come se fosse successo qualcosa di speciale, oppure come se fossero sempre ansiosi di assistere a qualcosa di speciale. Gli anziani gamuna non riescono a capire cosa ci sia da aspettarsi nel grande wadi del tempo, dato che nulla può accadere: nulla che sia diverso dal solito, a parte il rinnovarsi dei miraggi nei giorni e nelle stagioni. Dunque, nelle loro arcane armonie vocaliche, chiamano gli scienziati delle grandi città con un'espressione buffa, che si pronuncia in sussurro bassissimo e significa: "Quelli che credono sia successo qualcosa" (*mira ko i topo maramun*).

4. *Come si raccontano le storie*

Se debbono raccontare una storia, non parlano di avvenimenti che scorrono nel tempo, ma soltanto dei vari luoghi in cui qualcuno si è trovato, avvolto da visioni o miraggi variabili. Più precisamente: tutte le loro storie raccontano come qualcuno è trascinato dall'incanto greve che agisce sui piedi degli uomini spostandoli in diverse direzioni. I luoghi avvolti dai miraggi di fata morgana, che i raccontatori gamuna descrivono mirabilmente nella loro parlata pomeridiana, permettono di ricostruire un percorso, ma non di definire uno sviluppo di avvenimenti. Non parliamo di psicologia dei personaggi, che là sarebbe vista come una madornale assurdità. In sostanza, nei loro racconti è come se a qualcuno non succedesse mai nulla, tranne il fatto di trovarsi in un posto, poi in un altro, e in un altro ancora, ogni volta con la testa confusa dalle visioni, ma trasportato dalla contentezza dei piedi. Se fossero tradotti nelle nostre lingue i racconti gamuna sarebbero noiosissimi, perché non ci sono trame, fatti, niente. Ma il tutto è infiorato da un eloquio che i raccontatori coltivano per sbalordire chi ascolta, parlando sottilmente di cose qualsiasi che si incontrano sul cammino: un fuscello d'erba, una traccia di pioggia, qualche granello di sabbia su cui si posano gli occhi.

5. Punti cardinali variabili

Sanno che camminando verso est si arriva al massiccio basaltico; sanno che a ovest c'è l'immenso deserto sabbioso; poi sanno indicare la posizione dei punti cardinali in base al corso del sole e delle stelle, come facciamo noi. Ma diversamente da noi non ritengono che i punti cardinali siano sempre gli stessi, bensì che varino posizione di continuo secondo i movimenti dei nostri piedi. Un punto cardinale dipende dalla direzione presa dai piedi, dicono, e lo spiegano in questo modo: come quando una fascia di luce brilla sull'acqua e si sposta man mano che ci spostiamo noi, così i punti cardinali brillano di immagini variabili che si muovono man mano che ci muoviamo noi col nostro bagaglio di miraggi e lusinghe annidate nel corpo. Ora, dicono i Gamuna: se i nostri piedi si muovono ci muoviamo anche noi; e se noi ci muoviamo si muovono anche tutte le immagini che ci accompagnano con l'alone delle lusinghe attorno alle cose, in un moto generale che comprende anche il sole e le stelle. Questo è chiaro. Dunque: come può un punto cardinale stare fermo?

6. Critica delle nostre mappe

Nelle loro chiacchiere notturne spesso rievocano i paracadutisti scesi in un giorno a Gamuna Valley, e invasi da una forma di allucinazione che aveva messo tutta la cittadinanza in grave imbarazzo. Quella volta i paracadutisti erano lì per tracciare mappe del territorio gamuna, guidati da un esperto mondiale di nome Skotz, il quale ha cercato di spiegare lo scopo della spedizione, mostrando le mappe che aveva tracciato di altri territori desertici. I Gamuna sono rimasti allibiti all'idea che qualcuno volesse calcolare l'estensione del loro territorio assumendo uno sguardo dall'alto – cioè uno sguardo per poter guardare tutto dall'alto, anche da sopra della cupola del cielo. Infatti loro vedono così le nostre mappe, come sguardi dall'alto di qualcuno che non è nessuno, e che però vuole dominare i luoghi con linee fisse e punti fissi, fuori dall'incanto del *ta*, fuori dal "questo, qui, ora" (*ta, muna, ti*) dove ognuno si trova con i piedi sulla terra. "Assurdo! Assurdo!" dicono gli anziani, scuotendo la testa.

7. *Le loro mappe*

Usano anche loro mappe, ma molto diverse dalle nostre. Le loro indicano certi punti del territorio, deserto, brughiera, colline, massiccio, savana, disegnati per linee spioventi, ossia come visti a volo d'uccello. E ci scrivono sopra, con un alfabeto che ricorda la scrittura tifinar dei Tuareg: "Punto di Pici, punto di Pali, punto di Duonghi, punto di Wanghi, punto di Monghi", etc. Questi nomi si riferiscono a personaggi di storie diffuse da raccontatori antichi o moderni, e rimaste nella memoria collettiva, come eroi che indicano comportamenti proverbiali. Dunque le loro mappe sono come enciclopedie romanzesche, ma piene di punti vuoti dove non c'è nessun nome perché nessun raccontatore ne ha mai parlato, mentre sono fitte di nomi in altre zone che i raccontatori trovano più favolistiche, come ad esempio l'alta brughiera sopra il Muskadù. Poi in queste mappe favolistiche del loro territorio, in alto ci mettono molto cielo, molto più cielo che terra, con un purissimo turchese che rappresenta il grande wadi del tempo nella cupola dell'azzurro, oltre la quale non esiste niente. Quella è per loro l'unica totalità continua, che va verso il nulla dell'infinito. E l'idea che qualcuno che non è nessuno voglia guardare le cose dall'alto, mettendosi al di sopra dell'azzurro, produce imbarazzo e costernazione. Perché fa sembrare l'altezza del cielo come una cosa tremenda, che dà le vertigini solo a pensarci, e non più come una pacifica immagine del tempo immobile.

8. Lo sguardo dall'alto

Le nostre mappe secondo loro rivelano una stupefacente incompetenza del mondo fenomenico: "Linee rette! Punti cardinali fissi! Come se i miraggi non cambiassero di momento in momento!". Nella nostra mania di rendere fisse tutte le cose guardandole dall'alto, come nelle mappe, c'è per loro qualcosa che gli anziani gamuna chiamano "scarico di vescica gonfia" (*pisciola ke fanghi*). Questa espressione riguarda soprattutto certi sguardi da persona intelligente che guarda tutto dall'alto in basso, sguardi considerati poco dignitosi per un uomo adulto. E ogni volta che qualcuno assume lo sguardo dell'uomo intelligente che guarda tutto dall'alto, produce negli astanti un vivo senso di imbarazzo o vergogna (vergogna per lui). Viceversa, quando nella stagione piovosa l'onda d'un wadi (quei corsi d'acqua variabili che inzuppano i terreni spugnosi della brughiera, poi disperdendosi in falde sotterranee) riesce a superare il perimetro delle mura cittadine, fino a presentarsi in forma di rivoletto, con uno sciacquio che scorre nella conca d'un marciapiede, questa è considerata come un'immagine festosa di spostamento attraverso i luoghi, per effetto dell'incanto del *ta*. Allora tutti, uomini, donne, accorrono a guardarla sorridendo e si congratulano l'un l'altro per la bella giornata.

9. Lo spargimento dei nomi

C'è il frammento di una storia sulle origini mitiche dei Gamuna, nel quale si dice che un tempo gli uomini non riuscivano a distinguersi dai propri antenati, cioè dalle zanzare che prosperavano negli acquitrini della brughiera, oppure da altre forme di vita vegetale o animale. Gli uomini non avevano pensieri propri, ma solo i pensieri dei loro antenati; e non avevano neppure sogni propri, ma solo visioni dei loro antenati che li guidavano nella vita d'ogni giorno, ora per ora, momento per momento. Ma quando il grande eroe Eber Eber si è dissolto nell'aria in polvere fine del deserto, spargendo il turbine d'iridescenza iniziale, è successo un altro fatto. Siccome i suoi nemici morti avevano cominciato a parlare, dopo si sono messi a chiacchierare a rotta di collo di quei miraggi nati dai riflessi della polvere; e chiacchierando a rotta di collo spargevano delle parole che andavano dovunque nell'aria, fino a molto lontano. Così hanno diffuso i nomi delle cose, i nomi dei posti, i nomi dei fiori e delle piante e degli animali; anche i nomi di individui e di popolazioni che dovevano ancora nascere. Questo è stato per i Gamuna il massimo cambiamento mai avvenuto sotto la cupola del cielo.

10. *Come i nomi hanno cambiato tutto*

Lo spargimento cosmico dei nomi ha diffuso negli uomini l'illusione di sapere come sono le cose soltanto perché hanno sentito i loro nomi, e poi di poterle distinguere in buone e cattive, belle o brutte, tristi o allegre, secondo i nomi usati per parlarne. Infine lo spargimento dei nomi ha portato l'illusione di potersi distinguere dagli antenati, e di credersi anche diversi dagli animali e dalle piante. Prima c'erano popolazioni contente d'essere zucche, altre d'essere mosche, d'essere ragni, piante acquatiche, farfalle, uccelli, rododendri, calabroni, pecore e vacche. Questo dipendeva dal posto dove uno cresceva e dai pensieri degli antenati che guidavano i suoi miraggi quotidiani. A quei tempi tutto era nel *ta*, nell'eterno presente del "questo, qui, ora", dove non c'era bisogno di farsi domande, perché tutti gli esseri erano già nell'incanto greve della terra. Ma con la diffusione dei nomi si è sparsa la mania di voler essere uomini, non più bestie né piante né altro, considerandosi al di sopra delle bestie, piante, etc. Di qui è nato lo sguardo dell'uomo che guarda le cose dall'alto, e disprezza la polvere che ha sotto i piedi, per un ghiribizzo che gli anziani gamuna non riescono ancora a spiegarsi.

11. *La tenda del cielo*

Nella cosmologia gamuna non esiste nessun inizio; non c'è nessun Dio che abbia creato il mondo; c'è solo un tempo sospeso per una durata indefinita e poco considerata (perché ogni durata fa parte dei miraggi quotidiani, quindi è un'illusione). Il grande wadi del tempo immobile è una cupola azzurra che esisteva già ai tempi dell'eroe Eber Eber, e forse da prima ancora, ma fin lì nessuno ci aveva badato. Qualcuno ha cominciato a badarci con lo spargimento delle parole, perché uno diceva: "Cosa ci sarà lassù?". Tutti facevano delle ipotesi, e qualcuno faceva anche dei commenti: "Bello, ci sta bene quel colore lassù". Intanto però c'era stato lo spargimento della grande allucinazione del mondo, con l'alone dei desideri che si lanciano fuori dal corpo attaccandosi anche a nomi di cose che non si sa cosa siano. Ed ecco che son spuntati tantissimi nomi del cielo, che confondevano le idee; e uno chiamava il cielo in un modo, uno nell'altro, con litigi, guerre. Etc. Ora, secondo la cosmologia gamuna, se gli uomini non esistessero e con loro non esistesse l'alone delle parole che avvolge tutto, cosa sarebbe la terra? Sarebbe un posto dove non c'è niente di speciale, nessun punto speciale, nessuna veduta speciale, ma un posto tutto pieno di fievoli riflessi fino all'orizzonte. Sarebbe uno spazio tutto uniforme e silenzioso, spazzato da belle brezze, e sormontato da una tenda azzurra con i freschi colori del cielo.

12. *In che modo il cosmo dovrebbe finire*

Nel capoluogo gamuna si vedono spesso dei vecchi ciechi, che vanno in fila a tentoni cercando un'uscita dalla città; poi infilano la via della brughiera, per non essere più scacciati da una porta all'altra, e ritirarsi a morire in posti silenziosi. Quei vecchi cantano antiche litanie sulla costellazione del Vitulé, che un tempo doveva essere considerata un orologio cosmico per calcolare il giro degli astri. E le antiche litanie dicono in formule misteriose che quando la stella Panka (non identificata da Bonetti né da altri studiosi di cose gamuniche) tornerà a sormontare la costellazione del Vitulé, il grande despota del sonno Boro Trai si toglierà la vita. Cioè scoppierà a forza di mangiare e bere, assieme a 1000 sudditi venuti al mondo appositamente per seguirlo nella morte. Con lo scoppio del corpo di Boro, i suoi cascami di grasso saranno proiettati in cima alla costellazione del Vitulé, sotto la stella Panka. E allora non ci sarà più sonno, ma non ci sarà neanche più mondo, perché l'allucinazione del mondo fa il nido nel corpo dell'uomo che dorme.

13. *Profezie sulla fine del mondo*

Nelle pianure dell'Onianti, sulla cima d'un acrocoro sorge un antico monastero di origine incerta. Astafali l'ha visitato, e racconta di monaci barbuti che si dicono giunti dai monti dell'Armenia, sebbene parlino una lingua di tutt'altro tipo. Loro dicono d'esser giunti lì dopo due secoli di peregrinazioni, portandosi dietro un centinaio di libri che vengono dal fondo dei tempi – residui sapienziali di ere del mondo così antiche da non essere precisabili. Si tratta di grossi tomi in pelli sottilissime e vergati con un alfabeto sconosciuto, sicuramente non caldaico né aramaico né targumico. I monaci sull'acrocoro passano la loro vita a tradurli, essendo ormai gli unici al mondo in grado di decifrare quelle strane scritture che provengono da epoche immemoriali. Ebbene, la grande sorpresa del mio amico Astafali durante la visita a quel monastero, è stata di udire quei monaci nominare il popolo dei Gamuna con cognizione di causa. Non perché lo conoscessero, ma perché pare che nei loro libri si accenni a un popolo simile – il popolo dei *Ca-mu-nà* – che concepisce il mondo come un fenomeno di fata morgana, e sa bene che quell'allucinazione dovrà finire da un momento all'altro. Secondo i monaci barbuti, i Gamuna incarnerebbero una profezia che viene dal fondo dei tempi; e anzi, la loro stessa esistenza sarebbe l'annuncio d'una prossima fine del mondo.

14. *L'idea d'una fine del mondo è fuorilegge*

Durante il suo primo anno a Gamuna Valley Astafali è riuscito a far giungere qualche lettera in Europa attraverso gli avventurieri suoi amici, specialmente quel tedesco di nome Schulz. In una di queste lettere mi chiedeva di frugare nelle biblioteche in cerca di informazioni sui monaci dell'Onianti. Per quanto abbia cercato non ho trovato notizie del genere. Ma Astafali ha ricevuto una risposta da un suo corrispondente nel nord est (provincia di Astornia), il quale diceva che la profezia d'una prossima fine del mondo legata all'esistenza dei Gamuna è ben nota nelle periferie dell'interno, dato che le comunità di profeti gamunici del Bahranel la vanno predicando da tempo. Quei profeti sono dichiarati fuorilegge, sia in quanto pericolosi gamunopatici, sia per impedire che diffondano ulteriormente la loro predicazione. Perché l'idea che tutto possa finire da un momento all'altro deprime molto i cittadini delle metropoli, provocando stati di abulia, spesso convulsioni isteriche, persino gravi rivolte in seno alle più decorose famiglie borghesi.

GIUGNO-LUGLIO
GRAVI PERICOLI INCOMBONO SUI GAMUNA

1. *Veduta geologica del territorio gamuna*

Adesso qui il cielo è chiaro fino alle nove e mezza di sera, e mi piace camminare per le campagne a quell'ora, quando c'è solo luce riflessa sulle case, sui prati, sui muri. Dopo cena mi concedo qualche passeggiata fino a Villers-Canivet, dove mi fermo a chiacchierare con il postino, signor Ledoux, che a tempo perso fa il pittore. Poi torno a casa e riprendo in mano i miei appunti. Chi leggerà le cose che scrivo? A volte non so più andare avanti. Ma al mattino presto riesco spesso a vedere Gamuna Valley appena fuori dal mio borgo, laggiù in una conca della terra da cui spuntano case e palazzi. Sembra sprofondata in una specie di frattura nella crosta terrestre, frattura che secondo me comincia dalla brughiera ai piedi del massiccio basaltico. Ho l'idea che due blocchi adiacenti di crosta terrestre debbano aver subito una dislocazione laterale, per effetto d'una forte tensione nel substrato geologico; e può darsi che sia quello il motivo del campo magnetico molto intenso, degli uccelli che cadono a terra pigolando, dell'incanto greve, etc.

2. Guerre in corso al di là del massiccio basaltico

Da anni al di là del massiccio basaltico infuria una guerra tra due eserciti che non hanno niente di diverso, né armi, né metodi, né obiettivi. Uno è composto dalle milizie di quel dittatore orbo dal nome imprecisato o incomprensibile; l'altro è formato di mercenari del sud ovest sotto la guida del sanguinario generale Grondego. I due eserciti conquistano a turno certe zone, a turno sterminano tutti gli abitanti che riescono a trovare, e a turno spargono la leggenda che quello sia un importante bacino diamantifero da sottrarre al controllo di potenze straniere. Non è detto che un giorno o l'altro non decidano di spandere quella leggenda anche sul territorio gamuna, per spostare il teatro delle loro battaglie più a nord est. Ma la maggior minaccia che incombe sui Gamuna non è neppure questa, bensì il fatto che l'esercito di Grondego è sempre più accerchiato a ovest, e un giorno o l'altro sarà costretto a ripiegare sul massiccio basaltico. Allora i suoi mercenari dovranno aprirsi una via tra le montagne, scendere nella brughiera sul versante opposto, con conseguenze che si possono immaginare. Ma anche se i Gamuna hanno notizia di tutto ciò, pare che continuino la loro vita senza batter ciglio, come se nessuna minaccia incombesse su di loro. Già altre volte le soldataglie del dittatore orbo sono venute a mitragliarli dagli elicotteri; eppure nessuno parla dei massacri avvenuti, né dei pericoli in vista, né di possibili difese contro gli aggressori. "Sono un popolo con una rassegnazione raccapricciante," ha scritto un giornalista dell'interno. L'unica soluzione, dicono altri, sarebbe di invadere il loro territorio per proteggerlo dall'esercito di massacratori; ma i politici non vedono il motivo di dirottare un contingente di paracadutisti in quella zona.

3. *Effetti della prospettiva bellica sugli avventurieri*

Mentre gli abitanti non si mostrano interessati alla situazione che verrà a crearsi quando il generale Grondego dovrà ripiegare sul loro territorio, pare che ciò preoccupi gli avventurieri di passaggio che vanno a dormire dalla sorella Tran. Questo dipende dal fatto che i giacimenti di amianto sul massiccio basaltico diventerebbero inaccessibili, e i commerci che sono stati avviati in questi anni andrebbero a rotoli. Però secondo la nostra sorella Tran (*Tran-haki* com'è chiamata laggiù), quando gli avventurieri vengono a passare la notte nel suo albergo parlano come se avessero davvero a cuore la salvezza del popolo locale. Progettano sistemi difensivi, calcolano le spese per arruolare mercenari e formare una zona protetta intorno alla città; confabulano per serate intere, proponendo un attacco di sorpresa con gli elicotteri per togliere di mezzo Grondego e sbandare le sue milizie. Scrive la sorella Tran: "Forse quello di cui avevano bisogno era della prospettiva d'una guerra, per sentire che tutto è sempre sul punto di crollare, di sfaldarsi all'infinito". Mentre sono assorti in quelle discussioni e fantasie di mosse tattiche, si direbbe che gli avventurieri abbiano completamente dimenticato lo squallore del posto e quel senso di desolazione che li affliggeva tanto.

4. *La Tran va a stare nell'alta brughiera*

Secondo le stime di Bonetti, la popolazione di Gamuna Valley ammonta a quattromila persone, ma tenendo conto che i clan dei lignaggi traumuna abitano in una baraccopoli fuori dalla città, e i clan tsiuna in un attendamento dietro la vecchia stazioncina persa nel deserto (nel complesso circa seimila persone). Per attraversare la città a passo di marcia, da sud ovest all'estremo nord est, ci vogliono al massimo venticinque minuti. Dunque, partendo dal suo albergo, Astafali poteva raggiungere l'abitazione della sorella Tran in circa mezz'ora. Negli ultimi mesi andava spesso da lei con una svelta camminata mattutina, per avere cure e consigli, o soltanto per far due chiacchiere. Era il periodo della sua passione per l'altezzosa Buabìa Sangìto, e la Tran lo aiutava a superare la crisi sentimentale, se ben capisco. Con lei Astafali si trovava molto bene; la chiamava familiarmente Tran-haki come gli indigeni; gli piaceva il suo balbettio e il suo sguardo da miope; i due si scambiavano pensieri e libri da leggere; lei gli dava da bere delle tisane calmanti. Ma nei taccuini di Astafali c'è un'altra notizia del tutto dissonante: un giorno lui torna al vecchio albergo dove abitava la sua amica e consigliera, ma non la trova più. Bussa più volte e nessuno si fa vivo. In seguito viene a sapere dall'inglese Pirrip che lei aveva deciso di ritirarsi in una baracca nella brughiera più lontana e deserta, sul declivio d'una zona impervia che i Gamuna non frequentano volentieri. Credo che dopo non l'abbia mai più rivista, perché lui e lei hanno preso strade diverse.

5. L'eremo della suora vietnamita

Non so cosa ci fosse tra di loro, in quell'amicizia durata per vari mesi, nella vicinanza dei loro pensieri, nei loro incontri quotidiani, nell'intimità di certe sere passate nel mezzanino con la ragazza Tran-haki; ma Astafali non è mai riuscito a spiegarsi quell'improvvisa partenza, proprio quando l'arrivo del sanguinario Grondego era considerato imminente. In quella baracca nell'alta brughiera la nostra Tran-haki ha trascorso altri sei mesi, prima del suo ritorno in Europa. Ogni tanto un pastore le portava delle cibarie inviate da sua madre adottiva, la vecchia Ajraia, e per il resto non si sa come se la sia cavata, sola in quel paesaggio inospitale. Leggendo i suoi diari però viene l'idea che sentisse il bisogno di trovarsi in completo isolamento per studiare il fenomeno dei miraggi che ci attraversano in ogni attimo, trasportandoci sull'onda di sogni senza sostanza ma che formano la trama di noi stessi. Come dicono gli anziani gamuna: "Tutto quello che ti attraversa non sei tu, eppure tu sei solo quello". E le osservazioni in quella baracca della brughiera così esposta ai pericoli della guerra imminente, l'hanno portata a descrivere molti aspetti poco noti o mai studiati del fenomeno. In particolare questo: che si possono avere allucinazioni come quelle del deserto nella vita quotidiana più consueta e normale (dunque non c'è bisogno di andare in viaggio), sentendole come normale corso della vita, con le cose familiari che ci circondano e che di solito non prendiamo per miraggi.

6. *Un brano dai suoi ultimi diari*

Leggendo i suoi ultimi diari si capisce a quali osservazioni si è dedicata la sorella Tran nel suo eremo. Ad esempio: "Al risveglio vedo il tavolo fermo nel suo spazio. La sedia abbandonata vicino al letto, la tazza abbandonata sul tavolo. Ogni cosa nel suo spazio, come visione di un'oasi lontana (varie parole cancellate)... Non c'è più quel fluire indistinto di cose come su uno schermo, dove non vediamo mai che ogni momento è immobile e tremolante nel suo miraggio... Noi siamo piantati in un catino terrestre come le piante, e (parole illeggibili) affidati agli influssi variabili del suolo e dell'aria, senza poter sapere cosa ci sia oltre il bordo del catino. Cosa c'è oltre l'orizzonte? Altri luoghi, con altri miraggi, sempre diversi e sempre uguali; con altra gente che a volte ti considera una straniera. Ma appena ti installi nel loro catino terrestre, anche se sei straniera cominciano le abitudini, mille abitudini che tu vieni a condividere per il semplice fatto che sei venuta qui. E con le abitudini del luogo che diventano anche tue, poco a poco tu cominci a sentire che l'orizzonte si sta chiudendo su di te (tre parole cancellate)".

7. *Un altro brano che ho trascritto*

Queste sono pagine con frasi sempre più sbriciolate: "Ricominciare ogni giorno, le stesse cose... stessi movimenti... Sono davvero gli stessi?... Così lento tutto... Serie infinita di momenti... Nel pensiero si cancellano le differenze... Resta il concetto di un giorno... di un giorno dopo l'altro... Il concetto cancella l'infinità dei momenti... Momenti ammassati in blocco... per dire che... per modo di dire... l'allucinazione è nel modo di dire...Un modo di dire: 'Come passa il tempo!'... Subito è cancellata la lentezza del presente... 'Momenti vuoti'... altro modo di dire... Perché vuoti?... I momenti non vanno da nessuna parte... sono quello che sono, mai vuoti... Come Ajraia, anch'io non riesco a vedere oltre le cose del presente... Scavalcare la lentezza del presente?... con un calcolo... sui giorni o mesi futuri... Non sono capace di... Lento è il presente... Cosa c'è oltre le cose? C'è solo questa cosa, quest'altra, momento per momento... Dio è in ogni cosa singola e imperfetta, momento per momento... Lenta ogni ora, tremante nella sua bellezza... Lenta la sera che scende ogni giorno... qui o altrove è lo stesso...".

8. *L'esteriorità incalcolabile di tutti i momenti*

Nelle ultime pagine dei diari, la nostra sorella scrive che certe mattine al risveglio dalla sua baracca riusciva a vedere che ogni cosa e persona o animale là fuori era nel proprio spazio, e che non esiste spazio in generale, ma soltanto punti pervasi dallo spirito dell'incanto che trascina tutto verso il basso. Uscendo a camminare sui bordi d'un costone, incrociando qualche pastore con le sue pecore, o passando da un punto invaso da breccia e rottami, sentiva come i piedi cerchino sempre il loro *ta*, il "questo" del "qui ed ora". I piedi cercano il loro spazio in cui muoversi guidati dall'incanto greve, sempre nell'attrazione che spinge a muoversi. E poche pagine dopo: "Ora so che esiste soltanto il questo, il qui, l'ora, il momento e il luogo, il presente e tutto questo forma l'esteriorità incalcolabile. Il resto è la nube di fantasmi che avvolge ogni cosa, è l'iridescenza dei momenti, è l'idea con cui il *ta* dà a ognuno l'illusione di essere qualcosa di diverso da un arbusto, da un sasso, da un'ombra su un muro... Questo per...". (Fine dei diari).

9. *Pensiero dei momenti buoni in compagnia*

Oggi ho pensato alle separazioni tra i personaggi del mio racconto: quella tra la sorella Tran e Astafali, la separazione prossima tra Astafali e Sempaté, e ora quella tra la nostra sorella vietnamita e i suoi amici avventurieri. Quegli avventurieri che andavano a dormire nel suo vecchio albergo si debbono essere preoccupati per lei, e sono andati a trovarla in gruppo su un elicottero sull'alta brughiera. L'hanno trovata più magra, più balbuziente, più ritirata in sé, come poi hanno raccontato. Volevano convincerla del pericolo di abitare da quelle parti, e della mania di massacrare tutti del generale Grondego. Lei li ha ascoltati e poi ha detto soltanto, a occhi bassi: "Qui sto bene". Dopo di che è ricaduta nel silenzio, finché gli altri sono rimontati sull'elicottero, muti e perplessi, salutandola con imbarazzo uno dopo l'altro. So che in seguito l'inglese Pirrip è tornato in patria ed è divenuto il dirigente d'una impresa finanziaria, ma pensava spesso con nostalgia ai tempi in cui andava a dormire nell'albergo della nostra sorella e al mattino poteva conversare amichevolmente con lei. Ognuno va per la propria strada, poi ci si ritrova come sopravvissuti a epoche di buone amicizie, col pensiero d'essere rimasti fermi là con la testa, e quel che viene dopo è un epilogo.

10. *Un fotografo sbarca a Gamuna Valley*

Una mattina, mentre la cittadina era ancora nel sonno, un uomo con zaino e macchine fotografiche a tracolla avanzava lungo l'arteria centrale, guardandosi attorno. Poi è apparsa in fondo al viale una banda di bambini mascherati, con le loro piccole lance e i loro urli per spaventare i rivali. Quelle bande delinquenziali scorrazzano a qualsiasi ora, ma soprattutto della notte quando vanno ad assaltare i bar affollati di ubriachi, oppure a spaventare gli adulti crollati nel sonno in una macchina abbandonata. Quella mattina, mentre la città dormiva, l'uomo s'è fermato a guardare i bambini e loro a guardare lui. Lui ha acceso una sigaretta e loro hanno cominciato ad avvicinarsi cautamente, passo a passo. Poco dopo stavano guardando con curiosità le sue borse, lo zaino, le macchine fotografiche. Lui ha fatto segno che aveva fame e che voleva dormire, e i bambini gli hanno fatto segno di seguirli. L'hanno guidato all'Hôtel Sémiramis, gli hanno fatto capire che lì poteva mangiare e riposarsi, poi con urli impressionanti sono partiti via al galoppo. Verso sera il fotografo Salimbene, di nazionalità italiana, stava cenando con il celebre colonnello Augustín Bonetti e con la gigantesca avventuriera Elissa Keleshan, sotto il grande albero di tuspé nel giardino dell'albergo. Salimbene ha poi scritto una cronaca della sua visita a Gamuna Valley, da cui risulta che Victor Astafali non abitava più al Sémiramis, e che Bonetti era appena tornato dal suo nascondiglio nel Muskadù.

11. *Salimbene e Bonetti fanno lega*

L'accoglienza di Bonetti a Salimbene non poteva essere più calorosa. Salimbene s'era fatto paracadutare da quelle parti perché voleva fotografare il deserto, le dune erratiche, i disegni del vento, i colori del dilucolo sulla sabbia, la lama delle creste sui rilievi sabbiosi. Lì c'erano vedute a volontà. Lui pensava di cominciare subito, il giorno dopo. Però Bonetti ha avuto l'idea di mettere insieme il primo libro fotografico su Gamuna Valley. Tutti d'accordo. Elissa Keleshan aveva già in mente l'editore. Salimbene, tipo grassoccio, di umore sempre ameno, rideva e diceva di sì a tutti. Così dopo molti rullini di dune sabbiose, Bonetti l'ha trascinato in giro a conoscere la gente, a indicargli le facce, i corpi, i vestiti, le case, le strade. Tutto ciò che gli era passato davanti agli occhi nei sette anni del suo apprendistato gamunico ora doveva essere fotografato. Poco a poco l'idea si espandeva, e quel libro fotografico avrebbe dovuto comprendere ogni veduta della città, ogni volto o smorfia o gesto, maschile o femminile, ogni cielo possibile, ogni tramonto e ogni alba, fino alla resurrezione della carne. I due si sono messi a lavorare di buona lena, ma nel giro di quindici giorni Salimbene aveva consumato tutti i rullini. Bisognava aspettare che un avventuriero ungherese tornasse dall'interno e ne portasse uno stock per fotografare tutta la città. Niente di questo è successo; tutto è precipitato, così come precipitano le cose del destino; ma le rarissime foto di Gamuna Valley in circolazione (quasi impossibile trovarle, in realtà) sono quelle di Giorgio Salimbene.

12. *Matrimonio di cui non so nulla*

Matrimonio di Astafali! È un argomento che posso trattare solo per cenni, perché dal giorno in cui la Buabìa Sangìto si è decisa a divorziare dal precedente marito per risposarsi con il mio amico, lui non ha più scritto una riga sui suoi taccuini per vari mesi. Da appunti posteriori e altre fonti, so che è andato ad abitare con lei in una specie di *hôtel particulier* del centro cittadino, con un bel cortile interno. So anche che lei aveva avuto un figlio dall'altro marito, e mi sembra che tra questo figlio e Astafali le cose non filassero lisce. Naturalmente i due novelli sposi di sera andavano al passeggio sulla grande avenue del centro, e molti uomini invidiavano il mio amico per la bellissima moglie che s'era preso, e al suo passaggio salutavano con tanto di cappello. Cosa faceva adesso tutto il giorno, Astafali? Secondo me stava a guardare la Buabìa, come me lo ricordo guardare incantato certe sue fidanzate ai tempi di Cambridge. Qualche altra notizia l'ho avuta dal suo servitore, Guillaume Sempaté, quando è tornato in Europa e mi ha mandato il pacco con i taccuini del suo padrone, oltre a una sua lunga lettera di riassunto e congedo. Mi chiedo dove sia adesso, l'ineguagliabile Guillaume.

13. *Anche Sempaté si sposa*

Dopo il matrimonio di Astafali, Sempaté era rimasto all'Hôtel Sémiramis con Wanghi Wanghi e gli inservienti indigeni, perché la Buabìa non li voleva in casa. Forse aveva capito che lo strabico Wanghi raccontava ad Astafali molte fandonie per spillargli quattrini. Ma non voleva per casa neanche Sempaté, forse sospettando che avrebbe avuto un'influenza poco controllabile sul nuovo marito. Così Sempaté non aveva niente da fare tutto il giorno; e siccome si seccava a stare insieme a quel chiacchierone di Wanghi, ha finito per cercarsi anche lui una moglie e sposarsi. La moglie che si è trovato era una bella traumuna, dunque è andato ad abitare in quella vasta baraccopoli a sud della città. Lì il fratello di sua moglie ha deciso di avviarlo alla carriera politica, ed è riuscito a farlo eleggere ciambellano del vecchio capo quartiere, il quale credeva ancora d'essere un re dei tempi antichi, e voleva essere chiamato "re" (*krok*). Come ciambellano Sempaté non aveva niente da fare, ma era molto gloriato dai raccontatori di storie che circolavano da quelle parti: cosa che lo faceva ridere, soprattutto per le facce solenni dei raccontatori traumuna quando inventavano panzane per ascrivergli una ascendenza illustre. Quello che però lo occupava di più era il gioco francese della *belote*, che ha insegnato a tutto il quartiere; e passava il tempo ad accogliere in casa nuovi adepti di quel gioco.

14. *Servo e padrone si ritrovano*

Ogni tanto Sempaté col cognato andava a caccia di conigli nella brughiera, con un vecchio fucile che non so dove avesse trovato. Sia per il fucile che per la sua buona mira, era gloriato in famiglia come grande cacciatore. Una volta alla settimana andava a trovare Astafali; ma pare che il mio amico parlasse poco, che avesse anche assunto l'aria vacua dei mariti gamuna appena coniugati. La sua casa: grandi saloni, affreschi in rovina, vetrate che davano sulla strada. Per le scale e nell'ingresso molte macerie. Servo e padrone si sedevano in un salottino dove Astafali leggeva a Sempaté un libro, che credo fosse *Jacques le fataliste* di Diderot. (Già da prima il mio amico aveva l'abitudine di leggere un libro al suo servitore, di solito per passare le sere.) Buabìa serviva una bevanda e si ritirava senza dire parola. Sempaté non riusciva a capire quella donna: gli pareva altezzosa e modesta, furba e ingenua, preoccupata del cerimoniale e poco cerimoniosa, con lui cortese ma sotto sotto ostile. Nella descrizione che me ne ha fatto (per lettera), dice che era alta, con spalle e braccia ben tornite, seno turgido che si intravvedeva sotto il vestito, passo solenne, tunica che le arrivava ai piedi, d'una stoffa brillante con fasce di colori splendidi; poi lo sguardo dritto e sicuro, con un'aria di indifferenza regale che la mostrava distaccata da tutto, superiore a tutti. Quando andavano a passeggio si vedeva che Buabìa era al di sopra di ogni tipo di concorrenza, perché passava senza guardare nessuno tra la minutaglia maschile o femminile che intralciava l'avenue centrale. Molti dicevano che fosse la più bella donna della città. I raccontatori la mettevano nei loro racconti per gloriarsi di averne parlato, gloriando il suo incedere, la sua magnificenza e la discendenza da un lignaggio di antichi re gamuna, che si chiamavano appunto Sangìto.

AGOSTO
MASCHILE E FEMMINILE

1. *La famiglia gamuna generica*

Inizio un capitolo dove utilizzo appunti presi da Astafali dopo il matrimonio; utilizzo anche informazioni avute da Sempaté, che si è rivelato un ottimo osservatore dei costumi locali. A Gamuna Valley, ogni famiglia occupa un appartamento pieno di calcinacci; spesso i parenti abitano nello stesso caseggiato, e quando qualcuno si sposa tutto il caseggiato fa festa, con pranzi e musica. Se un figlio si sposa, i suoi genitori debbono mostrare ai parenti della sposa di possedere un certo numero di pecore, vacche, galline, e almeno un campo da coltivare. Questo è obbligatorio, per garantire che il marito potrà mantenere la sposa; anche se poi spesso avviene che sia la sposa a dover mantenere il marito, coltivando il campo, accudendo alle pecore, andando a raccogliere noci di trepeu. Sempre più frequente è il caso di mariti che passano la giornata al bar senza far niente, bevendo e fumando e parlando male delle mogli. (Tra i Traumuna questa è la regola quasi assoluta, e anche Sempaté non faceva niente, lasciandosi mantenere dalla moglie.) I figli appartengono alle madri, e su di loro il padre non ha alcun diritto; non può neanche rimproverarli quando ne ha voglia.

2. Il padre non progenitore

Il grande antropologo Malinowski sosteneva che gli abitanti delle isole Trobriand non sapessero che copulando si fanno bambini. Bonetti dice lo stesso dei Gamuna: "Secondo loro le donne procreano non per via dei rapporti matrimoniali, ma perché hanno mangiato una focaccia dove è entrato qualche minuzzolo d'ossa degli antenati portato dal vento". Del resto in lingua gamuna il padre è chiamato *numa du*, "marito della moglie", mentre *anoba* vuol dire "progenitore" ma nel senso di "antenato". Questo è il motivo per cui il padre non può sgridare e tanto meno picchiare il figlio, che è soltanto figlio di sua moglie. Nei primi anni gioca con lui, lo porta sulle spalle e manifesta i tipici sentimenti di affetto paterno, pronunciando suoni patetici: "Pi-pì! Pu-pù! Ci-cì?". Ma appena quello non è più un pupattolo, smette di occuparsi di lui; e quando dice: "Il figlio di mia moglie", lo dice con uno sguardo sospeso nella distanza desertica, che lo scarica da ogni responsabilità. (Idem per i Traumuna e gli Tsiuna, ma questi ultimi nel loro stato malinconico vorrebbero spesso stringersi al petto i figli della moglie.)

3. Regole nei rapporti coniugali

Le donne si tengono in una parte della casa, i mariti nell'altra, con varie porte di mezzo. I coniugi si incontrano nelle ore dei pasti o a tarda notte, per litigare o accoppiarsi. Un marito può avere anche due o tre mogli, ma è come se ne avesse una sola, perché sono le donne a decidere con quale moglie dovrà avere rapporti coniugali, mentre le altre fanno la parte delle serventi. (Sempaté aveva tre mogli, ma rapporti coniugali con una sola; le altre due erano sorelle della moglie che avevano rapporti promiscui, con amanti del quartiere, cose permesse tra i Traumuna.) I coniugi dormono spes-

123

so assieme, ma un marito non può sfogare i bisogni della carne se la moglie non è d'accordo e di buon umore. Di tutte queste faccende non si parla mai, per consuetudine. Tra marito e moglie ci si capisce a occhiate; soprattutto con certe occhiate serali molto oblique, che spesso sembrano ridicole, altre volte struggenti.

4. *Nella parte femminile della casa*

Le donne non si mescolano agli uomini, tranne nel periodo dei corteggiamenti. Dopo il matrimonio cambia il loro sguardo pomeridiano e serale, e anche il viso si trasforma. Negli incontri coniugali non sorridono quasi mai e con gli uomini in genere parlano pochissimo. (Astafali ha sofferto molto di questo; nei primi mesi di matrimonio credeva che Buabìa avesse preso a disprezzarlo, pentita dell'unione.) A parte le ore in cui preparano il desinare e la cena per il marito, le donne preferiscono stare tra di loro, nella loro parte della casa in piccoli gruppi. Di cosa parlano? Bonetti non sa dirci niente. La sorella Tran ha spesso partecipato a conversazioni tra donne, ma ne parla poco; dice che le donne tra di loro sono quasi sempre molto allegre, ma che quando debbono parlare o litigare col marito, si trasformano di colpo assumendo una maschera tragica con molte ombreggiature intorno agli occhi. Tra loro hanno molti amori, che spesso sono soltanto forme di grande simpatia, con abbracci, baci, carezze; ma a volte diventano passioni turbinose, che portano due donne a fuggire insieme nella brughiera e vivere di bacche in solitudine per qualche mese. Poi tutto passa, le due amanti tornano in città, e riprendono la solita vita; i vicini non ne parlano più, gli ex mariti fingono d'essersene dimenticati. Dopo qualche mese di silenzio, fatti del genere è come se non fossero mai accaduti. Non è educato ricordarli in una conversazione, trattandosi di miraggi che potrebbero contagiare i presenti. Gli amori femminili scoppiano tra donne sposate, raramente tra ragazze nubili, e sono la forma prevalente di adulterio. (Non tra i Traumuna, che considerano questi amori femminili una chiara dimostrazione che i Gamuna sono dei decadenti.)

5. *Solo le donne s'innamorano*

Ho detto che i maschi gamuna non si innamorano. Quelle passioni scoppiano quasi soltanto tra donne, e tra donne maritate, secondo tutte le testimonianze. Quando una donna è rimasta invasa dal miraggio passionale dell'amore, ciò si nota dal suo sguardo pomeridiano che diventa più fisso e sicuro di sé, molto imbarazzante per gli uomini. È appunto quel tipo di sguardo detto "di civetta losca", che mette molto a disagio i forestieri per strada; perché insieme a un'ombra di voluttà produce nei maschi il sospetto d'essere attirati in un tranello, per poi venire massacrati o castrati (leggende varie in materia, che qui salto).

6. *Sugli amori saffici cantati dai poeti*

I casi d'adulterio eterosessuale esistono ma sono poco frequenti, mentre quelli tra donne sono all'ordine del giorno. I raccontatori di storie ne fanno incetta, poi vanno a raccontarli spudoratamente negli stessi caseggiati dove abitano i mariti traditi. Quando la cosa è ancora fresca, sono sicuri di trovare gente curiosa di sapere i particolari, gente che farà loro dei buoni doni pur di gustare in segreto un racconto piccante. (Astafali l'ha constatato spesso, nel cortile di quell'*hôtel particulier* dove abitava con Buabìa.) Certi amori femminili sono particolarmente avventurosi, e i raccontatori ci ricamano sopra, aggiungendovi vecchie poesie per renderli più emozionanti, come se le innamorate durante gli amplessi si parlassero sempre in versi. Questi amori verseggiati poi li raccontano per anni come un pezzo forte del loro repertorio, che dà grande celebrità a un raccontatore. Invece di altri amori non parlano mai, tranne quando si tratta di storie comiche, balorde e sconce, che i padri di famiglia non vogliono sentire, e che solo gli adolescenti un po' idioti e le vecchie sfacciate ascoltano volentieri. Ai tempi di Cambridge io e Astafali leggevamo ad alta voce le poesie di Baudelaire, e tra le altre quella in cui fa l'elogio degli amori saffici a Lesbo: "Lesbos, où les Phrynés l'une l'autre s'attirent...". Ora il mio amico era capitato in un posto del genere, ma forse non si ricordava più di quella poesia, e forse temeva che anche la Buabìa avesse tendenze saffiche, come due sue vicine di casa che si davano apertamente a quegli amori.

7. Casi di incesto

Non molto insoliti i casi di incesto, tra cui i più risaputi sono quelli tra zie materne e nipoti maschi. Forse ne esistono altri, ma producono meno eccitazione perché i raccontatori non ne parlano. Quelli tra zia materna e nipote invece sono avvolti da un alone di leggenda, anche perché si dice che solo una zia è capace di insegnare bene al nipote le voluttà dell'amplesso. Nelle società segrete dei bambini gamuna se ne parla molto, tutti si preparano a quell'evento formidabile. Però, appena comincia il periodo delle erezioni più consistenti, il rito iniziatico viene a scombussolare i piani d'azione dei giovanetti; e loro cominciano a vedere l'alone delle lusinghe separato dalla cosa che li attira; entrano nello stato adulto, assumono quel paravento di vacuità che li protegge dai propri e altrui desideri, e di far l'amore con la zia non se ne parla più. Questa è la regola negli affari sessuali dei maschi gamuna; dopo di che viene il matrimonio e la vita senza più eccitazioni speciali. Quando però in famiglia ci scappa un amplesso imprevisto tra una zia e un nipote dai quindici anni in su, allora è la passione d'un miraggio infame che scoppia e sconvolge chiunque ci pensi. Niente è più temuto dai mariti gamuna.

8. *Esempio di romanzetto a tema scandaloso*

Le donne gamuna generalmente vedono nei giovanetti una specie animale che non è ancora quella insulsa dei maschi adulti, e molto più graziosa e meno rattrappita nel corpo, a parte la pelle ancora molto liscia e vellutata. Per questo in età matura sono sempre molto attratte dai giovanetti, e spesso se ne innamorano, e può darsi che quella passione scoppi anche per un nipote, o persino per un proprio figlio, non si sa mai. Qui siamo al limite di tutte le vergogne, ma non mancano casi del genere, segnalati in un articolo di Bonetti. Si tratta di fatti che non succedono anche se succedono, perché subito avvolti nel silenzio assoluto. Certo c'è sempre qualche raccontatore che, se pagato profumatamente, è disposto a rievocare drammi del genere, ma tenendosi molto nel vago, facendone una storia generica, come nei nostri drammi dell'opera lirica, o come nei romanzi sentimentali delle nostre autrici europee. Ad esempio: il dramma di una donna matura in sollucchero per un giovinetto che è stato un tempo sulle sue ginocchia come un pupattolo, e adesso se lo trova davanti alto e bello, ben fatto, etc. Ah, ma non è possibile! Lei è sua... (qui il raccontatore lascia intendere ma non dice). Ora però è pazza per lui, e fugge, vaga sulle falde della brughiera smaniando, strappandosi i capelli e chiamando gli Spiriti Disperati a gran voce, che vengano a prenderla. In lontananza si odono rumori di crolli, suoni di corni, rullio di tamburi, gridi di tutti gli animali possibili, i tremendi miagolii delle donne-gatto, finché la povera donna è travolta dalla pazzia e si getta in un burrone.

9. *Un luogo di ritiro per gli amori illeciti*

Augustín Bonetti cita il caso d'una matrona fuggita col nipote nell'alta brughiera. Dopo il clamore iniziale, con ripudio d'ogni legame da parte del marito, minacce di morte, anatemi, piani di spedizioni punitive, pare che i due abbiano continuato a vivere nella loro capanna senza essere mai molestati da nessuno. L'alta brughiera, sul rilievo collinare ai piedi del massiccio basaltico, più o meno là dove era andata a installarsi la sorella Tran, è il rifugio di quel genere di amori passionali fuori dall'usuale, incestuosi o saffici. Sono zone dove i Gamuna vanno malvolentieri, perché le leggende dicono che sono infestate da certi spiriti chiamati "capioni" (*kap-ion*), dalle donne-gatto o da altri esseri sovrannaturali e poco gradevoli. E si crede che gli amanti illeciti siano accolti tra quegli esseri sovrannaturali e diventino parte dello spirito selvatico della brughiera; ossia anche loro come esseri selvatici a metà strada tra i vivi e i morti, o come i cosiddetti capioni, fantasmi un po' stupidi.

10. *Sintomi del miraggio infame*

Questi amori illeciti dipendono naturalmente da una particolare allucinazione desertica, molto temuta da tutti. Dicono trattarsi d'un improvviso miraggio che rimescola il cervello, con ventate di fumo che escono dalle tempie e con pizzicore nella pelle che può trasmettersi a un altro con un semplice toccamento di mano. Tale miraggio arriva senza preannunci di solito a tarda notte, ed è soprattutto pericoloso nelle notti di luna piena, perché si sa che la luna piena aumenta i bollori. Appena arriva, ha conseguenze catastrofiche: con un minimo contatto passa da una persona all'altra, e nessuno resiste alla torbida ansia di amplessi a tutto vapore. Ma mentre gli amori tra donne non suscitano panico, tranne naturalmente nei mariti, i bollori incestuosi spargono una costernazione profonda in tutti. Sono allucinazioni così malsane che non si devono neanche ritenere avvenibili; però restano nell'aria delle tracce, dei sintomi, degli odori che non si cancellano facilmente in un caseggiato. Quando se ne accorgono, certe matrone molto dignitose si versano dei secchi d'acqua in testa per giorni e giorni, temendo che il bollore di quel miraggio infame arrivi anche alle loro tempie, a trascinarle in qualche allucinazione, rovinando la gloria pubblica dei loro mariti.

11. *Consigli delle fattucchiere*

Ci sono filtri magici per prevenire i bollori incestuosi, che però richiedono molta costanza e lunghi ritiri in una soffitta, per purificarsi con preghiere all'Essere del Largo Respiro. Certe vecchie fattucchiere, disprezzate da tutti ma ricercate per consigli sui fatti amorosi e intimi, suggeriscono altri rimedi. Dicono che quei miraggi non vanno presi troppo sul serio, perché sono scherzi dell'Essere del Largo Respiro che si diverte a giocare con gli uomini. Suggeriscono che un amplesso fatto in fretta, e che colga il momento giusto in cui l'Essere del Largo Respiro è in vena di scherzi, può risolvere il problema seduta stante e senza lasciar strascichi. Posto naturalmente che nessun familiare o vicino si accorga di quel raptus infame. I più scadenti raccontatori ricamano anche su soluzioni del genere: storie di amplessi illeciti in famiglia, segreti e rapidissimi, fantasticamente voluttuosi, ma sconvenienti più che mai. Naturalmente queste sono storie che nessuno ascolta, nessuno vuole ascoltarle, tranne certe vecchie sguaiate che tirano in casa di nascosto i raccontatori per ascoltarle bisbigliate al loro orecchio. Si dice anche che siano storie così piccanti che, ascoltandole, una donna normale sarebbe presa anche lei dai bollori infami, per contagio.

12. *La bestiale rivalità tra donne*

Tanto alcune donne si amano tra di loro, altrettanto altre si odiano in modo feroce, da cavarsi gli occhi, da sbranarsi coi denti. Ed è perché si credono belle, e non sopportano che altre donne possano essere considerate più belle di loro. Si dice che questo miraggio venga dal deserto in forma di cimice che entra nell'orecchio delle belle donne, portando il delirio di voler essere la donna più desiderata del mondo. Al passeggio serale sulla avenue del centro, le donne che si credono belle ingaggiano una guerra furibonda di sguardi, di mosse dei fianchi, di smorfie sprezzanti. Oltre naturalmente a una guerra campale con i vestiti, addobbandosi con tutto quello che possono per essere più vistose delle altre, con quei colori speciali, fucsia, smeraldo, turchese. E dopo, se un uomo non le guarda con estatica ammirazione come dovrebbe, loro lo considerano un verme da schiacciare sotto i piedi, e sputano per terra al suo passaggio. Hanno l'occhio che vaga sempre a controllare se un maschio anche lontanissimo, anche sull'altro marciapiede, allunga il collo per ammirare la loro procacità o avvenenza. Etc. La guerra tra le donne è terribile, e spesso i mariti sono istigati a litigi furibondi per sostenere il partito preso delle mogli. Lo fanno però senza accennare al vero motivo, per buona educazione, e accusano la rivale della moglie di misfatti come un furto, un adulterio molto torbido, o di sporcizia e malanimo, o di pratiche da fattucchiera. Non è raro che i mariti divorzino dalle belle mogli, perché sono stanchi di sopportare quella scatenata pazzia.

13. *Vita sfasata tra maschi e femmine*

Già sugli otto anni le ragazze iniziano a menare i fianchi e imbellettarsi con una polvere seduttiva color carminio. A questa età sono già scatenate in feroci competizioni con coetanee ritenute belle, e ne combinano di tutti i colori per umiliarle, sconfiggerle. Tale mania si accentua al massimo nel periodo del contratto matrimoniale, perché allora vorrebbero che il marito smaniasse o muggisse come un toro davanti alla loro bellezza. Questo non succede mai, anche se il promesso sposo certe volte fa finta di spalancare gli occhi come un uomo estasiato dal fulgore della moglie, per paura che il matrimonio vada a monte. Ma non succede mai con il tipo di raptus fantastico preteso dalle mogli, perché gli adulti maschi non sanno cosa sia l'innamoramento, e vedono l'alone delle lusinghe sospeso per aria, dunque più che altro vogliono arrivare al connubio senza tante seccature. Così comincia la vita sfasata tra maschi e femmine, e di solito un marito sopporta una bella donna come moglie solo per un motivo: per la gloria che ne ricava attraverso le storie dei raccontatori.

14. *Le donne-gatto*

I mariti vivono sempre nel sospetto che la moglie possa darsi a un'altra donna; ma non possono avere nessun controllo sui suoi pensieri. Quello che fanno è spandere nell'aria ogni giorno una propaganda calunniosa, sostenendo che gli amori lesbici sono l'effetto d'uno stregamento causato da certi gatti selvatici che abitano nell'alta brughiera, ma che di notte vengono in città per morsicare qualche vittima inconsapevole (tipo vampiri). Infatti, di donne che si diano apertamente ai miraggi di quella passione, si dice che "sono state morsicate dal gatto". Significa che si sono trasformate in bestie feline, anche se all'apparenza sembrano ancora donne.

Si dice che con le loro unghie possano cavare gli occhi agli uomini, possano strappargli il cuore; e che non è possibile accoppiarsi con loro senza diventare succubi votati alle peggiori sfortune.

15. *Come si difendono i mariti*

I mariti prudenti, tutti immersi nel "sacro delirio del proprio mestiere" (è la formula che si usa), considerano innaturale ogni passione amorosa, in quanto rappresenta un disturbo della quiete pubblica e del loro tran tran professionale. Ma come proteggersene? Appena un marito subodora che la moglie abbia una tresca con un'altra donna, per prima cosa litiga furiosamente; poi cerca di convincerla che è stata "morsicata dal gatto" e che deve farsi visitare da un guaritore. Se la moglie non obbedisce, il marito mostra ribrezzo per lei, la caccia di casa e brucia tutti i suoi vestiti per purificare le stanze. Dopo di che si graffia da solo la faccia per simulare che quella bestia felina l'abbia aggredito, e va a cercare consolazione dai vicini e parenti. La conclusione di queste pratiche è una cerimonia officiata davanti a una scimmietta delle brughiere, offrendole doni su un altarino di cannella palustre, dove il marito pronuncia una formula rivolta alla moglie: "Sia maledetto il giorno e l'ora che ti ho incontrato; sia maledetto il miraggio che mi ha attirato verso di te; sia maledetta la gatta che ti ha morsicato; sia maledetto il tuo sguardo pomeridiano che getta il malocchio su ogni cosa". Così il marito si considera ufficialmente divorziato e ride alle esibizioni della scimmietta che suona un campanellino in segno di conclusione dei suoi guai matrimoniali. Indi va al bar a vantarsi con gli amici di avere ripudiato la moglie perché aveva un odore di selvatico che gli dava fastidio.

FINE D'AGOSTO
BAMBINI E ADULTI

1. *Il grande eroe Tichi Duonghi*

"Un grande dio presso i Gamuna è Tichi Duonghi, che una notte riuscì a copulare con 520 matrone," scrive Bonetti. Il quale poi si corregge, spiegando che in realtà i Gamuna non hanno dèi ma soltanto eroi leggendari, e tra questi Tichi Duonghi è uno dei principali. Tichi è il delinquente mascherato che tutti i bambini imitano, sperando che il suo spirito possa reincarnarsi in loro. Tichi è il ladro di pecore, lo sterminatore di zanzare, il portatore di pioggia che distrugge i campi d'orzo dei ricchi più antipatici. Tichi è soprattutto il maniaco sessuale che di notte si insinua sui corpi delle donne gamuna, penetrandole per far dispetto ai mariti che russano. La leggenda dice che in tempi antichissimi un altro grande eroe, Leri Wanghi, fosse stato invaso da un impulso tirannico e avesse deciso di fondare il suo impero millenario, rendendo schiavi tutti gli uomini senza farsene accorgere. Aveva ai suoi ordini immensi sciami di zanzare d'acqua: sciami così vasti che coprivano tutto il cielo, e che quando ronzavano assieme producevano un rumore così petulante che tutti cadevano secchi per terra, in preda a paure da succubi con annebbiamento mentale istantaneo. Molti crollavano addormentati, oppure avevano il cervello invaso da pensieri così spaventevoli che dovevano scappare nella brughiera e gettarsi dentro un laghetto.

2. *Sconfitta di Leri*

Una notte Leri stava arrivando col suo esercito di zanzare, per rendere schiavi i Gamuna, i Traumuna, e gli Tsiuna, e fondare il suo impero millenario senza pietà per nessuno. Era ribollente di rabbia guerresca, non vedeva l'ora di sottomettere al suo potere migliaia di uomini, per farli marciare tutti assieme a colpi di frusta. Ma qui ha trovato ad accoglierlo l'altro eroe, Tichi Duonghi, il quale è corso di casa in casa nel buio, rapido e silenzioso; e in pochissimo tempo ha risvegliato 520 matrone, penetrandole di slancio e portandole ad emettere alti gemiti di piacere, accanto ai mariti dormienti. Veloce come una saetta, ne eccitava una e subito passava a un'altra, facendo in modo che i loro gemiti si elevassero tutti assieme nella notte. Il misterioso Tichi godeva molto dei propri misfatti; e saltando da un tetto all'altro, entrando per le finestre, scivolando nel buio, insegnava alle donne ad emettere il verso delle otarde in calore quando sono beccate dal maschio. Ma quel verso ha anche il potere di rendere le zanzare intronate, come ubriache, senza più direzione. Leri ribolliva di rabbia, vedendo che il suo sciame di zanzare si sfilacciava, sparpagliava, e non emetteva più il suo ronzio petulante e soporifero. Ma non poteva farci niente perché Tichi era scatenato, e rideva tra un salto e l'altro per le sue gesta da delinquente. Fatto sta che quando l'esercito zanzeresco di Leri è giunto sopra il cielo delle tribù gamuna, e le zanzare stavano lanciandosi dentro le abitazioni, i mariti si erano già svegliati al suono dei gemiti femminili e avevano capito la situazione. Presi in massa da una furia gelosa, credendo fossero le zanzare colpevoli dell'adulterio notturno, si davano ad accendere grandi fuochi, poi correvano di qua e di là con torce accese, bruciando le ali delle zanzare e producendo uno sterminio mai visto prima. Da allora, dicono le leggende, le zanzare preferiscono stare alla larga dalle tribù gamuna e vivono per lo più nelle zone acquitrinose della brughiera.

3. *Seguito della storia*

Il seguito della storia dice che l'eroe Leri Wanghi, sempre più rabbioso per lo scorno, ha preso a emettere fumi da tutto il corpo, e infine ha dovuto correre verso la brughiera e gettarsi nell'acqua d'un laghetto. Ne è venuto un tale sommovimento che l'acqua è evaporata tutta e dopo copriva il cielo di nuvole nerissime, con una pioggia durata 25 giorni. Ma intanto Tichi aveva già compiuto la sua impresa, e lasciato a tutte le matrone un ricordo indelebile; ed è così, dicono le leggende, che ha insegnato alle donne il gemito copulativo, simile al verso delle otarde in calore: il quale gemito serve a glorificare l'uomo che le monta dandogli la stravagante illusione di essere una specie di dio. Dopo la famosa notte, le 520 matrone hanno dato alla luce 520 figli di Tichi, e di lì in poi ogni bambino gamuna si vanta d'essere un discendente da quella leggendaria covata. Perciò, a partire dall'età di otto anni, i bambini si organizzano in bande mascherate che imitano le imprese di Tichi. Oltre a rubare e infierire su qualsiasi malcapitato che voglia ostacolarli, oltre a scatenarsi in scontri cruenti a colpi di lancia, dall'età di nove anni i bambini vagano nella notte con l'idea di scivolare su una sposa dormiente e penetrarla a colpo secco come faceva il loro eroe. Questo per aver l'illusione d'essere anche loro dei tipi imbattibili e svergognati come lui, senza pietà e senza freni, ognuno con la voglia di diventare un dio malandrino.

4. *Imprese criminali dei bambini*

I bambini crescono nella parte della casa assegnata alla madre, ma prestissimo si rendono indipendenti, e scorrazzano per la città in bande armate. Vivono di rapine, oppure di doni fatti da qualcuno che li manda a danneggiare la casa d'un vicino antipatico. Quasi sempre detestano i ricchi, e per un ricco girare di notte a Gamuna Valley è molto pericoloso. Se poi porta con sé del denaro, succede spesso che i bambini glielo facciano inghiottire tutto, comprese le monetine che ha in tasca, riempiendogli la pancia con "le spine del pesce rapace" (come si suol dire parlando del denaro). I bambini sono dei veri criminali, asociali, selvatici, che arrivano facilmente all'omicidio quando siano trasportati dalla loro mania di apparire come eroi imbattibili. Ma anche di questo nessuno parla, ed evocare le gesta delle piccole bande delinquenziali è considerato un atto di grandissima villania. Se un Gamuna si trova a casa d'un amico e gli scappa di bocca una frase sui misfatti dei piccoli mascalzoni, l'amico può anche offendersi e cacciarlo di casa. "Qui non si parla di certe cose," sembra che vogliano dire con quelle reazioni, "noi siamo adulti, e non possiamo riandare col pensiero alle illusioni infantili, altrimenti potrebbe venirci la voglia di tornare all'infanzia, o peggio ancora di riformare la vita! Di riformare tutto questo corso della vita che accettiamo da smemorati! Impossibile! Impossibile! Impossibile!"

5. *Società segrete*

Un articolo di Bonetti parla delle società segrete dei bambini gamuna. Sono istituzioni che si tramandano da sempre, di cui però gli adulti debbono fingere di non sapere nulla. Ogni persona assennata, quando esce dall'adolescenza, cercherà di dimenticare le società segrete infantili e anche la propria infanzia, per non cadere mai nella tentazione di rievocare i suoi riti sconci e segretissimi. La stagione puberale, con l'inizio delle erezioni più consistenti, porta nei bambini l'idea di dover piantare la loro verga nascostamente, per fare in modo che le donne ripetano il grido delle otarde in calore. E si sa di assalti notturni a "spose stagionate" (questa è la loro formula) dormienti accanto al marito che russa in modo fastidioso. Si sa di mariti che svegliandosi si sono trovati un bambino mascherato nel letto. Di solito il marito si mette a urlare per fare accorrere i vicini e catturare l'intruso; ma i piccoli delinquenti, oltre a sgusciare via come anguille, tengono le loro bande armate fuori dalla porta e pronte ad intervenire a colpi di lancia. Sicché i vicini si guardano bene dall'accorrere, per non aver a che fare con quella milizia pericolosa; e i mariti che vorrebbero arrestare il piccolo mascalzone, finiscono per avere la peggio e pentirsi di aver gridato. Al mattino per le strade si vedono questi adulti imprecare contro l'infanzia, fasciati per una ferita notturna, o col capo che gli duole per un colpo di lancia alla nuca. Gli altri passanti fingono di non vederli, e se un vicino di casa incontra uno di quei malconci mariti, guarda per aria e parla del tempo che fa.

6. *Effetti del rito iniziatico*

Le imprese di Tichi Duonghi ispirano le allucinazioni con cui crescono tutti i bambini gamuna. Se ne distaccano verso i dodici anni, quando sono condotti nella brughiera e bastonati per quindici giorni. È la loro iniziazione obbligatoria, a cui nessuno sfugge; perché tanto molli e titubanti sono gli adulti quando debbono trattare questioni personali, altrettanto attivi e cattivi diventano quando debbono regolare questa faccenda d'ordine pubblico. Se un piccolo delinquente non si presenta spontaneamente al rito, si costituiscono squadre armate di bastoni che vanno a cercarlo dovunque. Alla caccia partecipano anche gli iniziandi, che vogliono mostrare d'essere pronti al passaggio d'età, pronti anche a tradire le loro bande e i capibanda – è una faccenda d'onore mostrare di avere già atteggiamenti da adulto e non più da monello scriteriato. Così dice Augustín Bonetti, l'unico osservatore non gamuna che abbia assistito al rito iniziatico gamuna. Ed è un rito molto pesante, per le randellate che gli zii scaricano di gusto sulla testa dei bambini. Si dice che un tempo i bambini meno docili fossero addirittura castrati; ma Bonetti crede sia un'invenzione di qualche raccontatore più recente. Dice che ora i bambini sono bastonati a colpi di randello per 10-15 giorni (forse esagera); il che li lascia instupiditi per un mese e più. Qualcuno rimane idiota per la vita ed è commiserato come una povera anima invasa dal vento del deserto. Ma il risultato normale è questo: che gli adolescenti smettono di credersi discendenti di Tichi, e ognuno smette di voler ripetere le sue imprese delinquenziali per aver l'illusione d'essere un dio.

7. Dietro la vernice dello stato adulto

Quelle fantasie infantili risorgono nel caso di litigi tra Traumuna e Gamuna, che si trasformano in faide violente. Gli assalti per compiere una vendetta sono sempre notturni; e gli assalitori si ripassano in mente le grandi imprese di Tichi, si mettono anche le maschere d'un tempo, prendono le loro vecchie lance, e partono in banda nel buio cantando una canzone che rievoca le malefatte dell'eroe mitico. Fino a qui la faida è una specie di festa, in cui le fantasie infantili tornano ad avere libero corso; e gli adulti smettono di mostrare la solita serietà tremebonda, marciando come briganti o assassini nella notte. Poi gli scontri si risolvono in una confusione dove nessuno capisce niente, nessuno sa mai chi abbia vinto e chi abbia perso. C'è chi perde un occhio, chi un braccio, chi rimane infilzato nella pancia, chi semplicemente se la fa addosso o scappa via subito. Ma in quei momenti, dice Bonetti, in ogni adulto gamuna e traumuna risorge l'antica illusione di poter essere una specie di dio sfrenato, che ruba e saccheggia, che inganna tutti e piscia nel secchio del latte, oltre a violentare brutalmente le spose dei suoi avversari. In realtà ogni spedizione è un buco nell'acqua: i reduci dalle faide notturne tornano sempre a casa con un'aria molto grama (compresi i gradassoni Traumuna). Ma in quelle bande notturne sotto sotto circola silenziosamente un forte sospetto: che qualcuno all'insaputa di tutti, un altro non identificato, possa magari compiere davvero delle imprese malandrine, sentendosi un dio inafferrabile, sul modello di quel gran pagliaccio che fu il leggendario Tichi Duonghi.

8. Bambini e adulti

I vecchi gamuna dicono: "L'adulto è un bambino e il bambino è un adulto". E lo spiegano così: quando il bambino viene al mondo ha l'età della stirpe intera (vogliono dire che nel seme da cui nasce è inscritta tutta l'ontogenesi e filogenesi del genere umano). Ed è ancora più vecchio dei padri fondatori, ancora più vecchio dell'eroe Eber Eber: è vecchio forse come la sabbia del deserto quando non era fatta di granellini sferici ma di grandi cristalli a punte tetraedriche. Dunque il bambino ha "l'occhio della stirpe", che vede tutto, capisce tutto, ma da lontano, molto lontano. Ed è per quello che fino ai due anni non parla, perché è ancora lontano. Quando comincia a parlare non è più così vecchio, ha solo l'età del suo popolo; e quando cambia i denti ha l'età del suo lignaggio; e quando arriva al rito iniziatico ha solo l'età della sua famiglia; e quando si sposa ha solo la sua età, diciotto o diciannove anni. Ma dopo sposato regredisce, perché ormai ha "l'occhio ristretto", che non vede più niente da lontano; dunque lui capisce poco, ha paura di tutto, diventa anche avido come un bambino che vuol succhiare sempre la poppa. Perciò l'adulto è un bambino, il bambino un adulto.

9. *Arrivo dei Figli del Deserto*

Mentre si aspettava l'arrivo delle milizie di Grondego, è giunto a Gamuna Valley un gruppo musicale chiamato "I Figli del Deserto": quattro musicisti canadesi e una cantante africana. Questi componevano le loro canzoni andando per deserti e ispirandosi alla sabbia, al silenzio, alla solitudine. Poi registravano i loro dischi e andavano in tournées per diffonderli. Naturalmente a Gamuna Valley non c'erano sale di registrazione, ma loro si portavano dietro un generatore di corrente, per poter lavorare dovunque. Si sono installati all'Hôtel Sémiramis, che era diventato uno dei luoghi più rinomati della zona, dopo che Victor Astafali vi si era insediato e lo aveva reso abitabile. Lo strabico Wanghi Wanghi aveva messo su un servizio per viaggiatori di passaggio, con offerta di letto e colazione e cena per una somma giornaliera abbastanza ragionevole. Aveva investito i suoi risparmi e adesso era un rispettato proprietario d'albergo; teneva al suo servizio una squadra di donne che facevano la cucina, uomini che pulivano le stanze, e avventurieri che gli portavano derrate di cibo dalle città dell'interno. Non arrivavano molti turisti, ma più spesso gente che voleva ritirarsi da quelle parti; altri che desideravano conoscere il celebre Augustín Bonetti; altri che capitavano lì col pensiero di diventare eremiti del deserto ma poi cambiavano idea. Con tutto ciò, la popolazione locale cominciava a tenersi meno distante dai forestieri; le mogli dei mariti fannulloni andavano a offrire agli stranieri gli oggetti dei precedenti abitatori, soprattutto quei ritratti a olio molto richiesti, ma anche vestiti, cucchiai, forchette, vecchie bottiglie, chiodi e turaccioli (in quanto articoli d'antiquariato).

10. *Musica e fermentazione di pensieri*

In quell'albergo decaduto ferveva una nuova vita, e nel giardino alla luce azzurrognola dell'acetilene si formava ogni sera una larga tavolata, con il celebre colonnello Augustín Bonetti a capotavola, al suo fianco il fotografo Salimbene e l'Elissa Keleshan, poi gli avventurieri del momento, ed ora i cinque Figli del Deserto, più altra gente. Dopo cena i Figli del Deserto acconsentivano a suonare le loro musiche; accendevano gli amplificatori con il generatore di corrente e si lanciavano nei suoni delle chitarre elettriche. L'eco si spandeva per tutta la città, come se le musiche piovessero giù dal cielo, e le donne uscivano per le strade a sentirle, gli uomini che facevano le chiacchiere notturne tacevano per ascoltarle, i giovani che vagavano senza meta si sentivano elettrizzati da quei suoni e confluivano verso l'Hôtel Sémiramis. Bonetti invitava spesso tutti quanti a brindare; e mandava gli inservienti a comprare una cassa di birra da offrire agli spettatori giovanili che si accalcavano dietro il muro del giardino. La fama di queste serate volava per la città e la brughiera: il colonnello Augustín Bonetti era popolarissimo, e qualcuno voleva proporlo come presidente di un'eventuale repubblica gamunica. Ma popolari più che mai erano i Figli del Deserto, divenuti in pochi giorni gli idoli dei teen-agers locali – i quali tra l'altro non lo sapevano ancora di essere dei teen-agers; sapevano soltanto di essere stanchi di quella stupidità che si vedeva dappertutto nella loro cittadina, in ogni spigolo di muro, in ogni facciata o tetto che crolla. Cos'erano usciti dall'infanzia a fare? Perché avevano abbandonato le illusioni infantili, se poi tutto il resto era così poco entusiasmante? Ecco quali pensieri faceva fermentare in loro la musica dei cinque Figli del Deserto.

11. *Il ritorno di Pigo Monghi*

Per molte sere le strade cittadine sono state invase dalla musica dei Figli del Deserto: musica ispirata alla sabbia, allo spazio, al vento, con note tirate molto in lungo, voce soffiata della cantante, chitarre elettriche dissonanti, e insieme il tam tam d'un pericolo che spunta all'orizzonte. Poi suoni di sabbia che rotola, spazzole sui tamburi, mentre un flautino fa l'eco di note lontane come quelle del fauno di Debussy. Nei vari quartieri e anche nella baraccopoli dei Traumuna, si parlava moltissimo dei Figli del Deserto: "Te Sons of te Desert! Te Sons of te Desert!", era un vocio sparso nell'aria. Se ne parlava nei bar del centro, se ne parlava al tramonto tra le donne sedute sui marciapiedi, e nelle riunioni maschili per fare le chiacchiere notturne. Intanto i musici avevano trovato un buon interprete indigeno, che era la nostra vecchia conoscenza Pigo Monghi, scappato a suo tempo in una città dell'interno, ed ora tornato al suo paese come uomo posato e persona di riguardo. E siccome i Figli del Deserto erano gli eroi dei teen-agers, anche Pigo è diventato un eroe dei giovani; e quando i musici se ne sono andati, lui è rimasto con l'eredità di quella fama tra le nuove generazioni. Tra le foto di Salimbene c'è anche la sua: ben dritto, con una vecchia giacca militare, calzoni al ginocchio, capelli corti, un bastone da viandante, in posa da uomo ormai sicuro di sé.

12. *La sapienza appresa dai profeti gamunici*

I Gamuna sono tutti dei rabdomanti naturali, e riescono a sentire da lontano le falde e le sorgive, e gli strati geologici delle età della terra. Fuori dalle città sentono sotto i piedi anche l'orogenesi in atto da lontananze estreme, ossia la deformazione continua della crosta terrestre che dà il corrugamento del suolo e l'innalzarsi dei monti. Loro sanno che gli strati sotto la sabbia, gli strati geologici profondi, sono il posto dove si è ritirata la vita. Tornando sulle dune davanti a Gamuna Valley, Pigo Monghi ora sa che i veri antenati sono quei minuscoli scarabei chiamati *tunga du*, abitanti delle profondità del suolo, dai tempi immemoriali in cui non c'era il deserto ma un'unica placca di loess giallastro. Durante gli anni di assenza, Pigo ha studiato alla scuola dei profeti gamunici nelle periferie tra Pequeño Grande e Majaderia del Este, e ha imparato i segreti primari della vita geologica. Ha imparato che la saggezza ultima è negli strati della terra, racchiusa nelle zolle, nei detriti di falda, nei sedimenti crostosi derivati dall'alterazione degli orizzonti di superficie. Ha imparato che i minuscoli *tunga du* (gli insetti da cui discenderebbe la specie umana, secondo i profeti gamunici) sono i veri testimoni del mondo, perché nel loro corpo hanno memoria di tutte le trasformazioni della vita geologica, e anche delle allucinazioni che vanno assieme alle ere geologiche. Sono loro, secondo i profeti gamunici, che hanno trasmesso agli uomini l'attaccamento all'incanto greve della terra, con tutti i suoi miraggi e dolori. L'hanno trasmesso come fanno ancora, risalendo ogni anno in superficie ad annunciare la stagione delle piogge, l'irrigazione delle zolle, il dilavamento dei lateriti, l'umidificazione delle arenarie. Così si perpetua l'incanto greve, nel ripetersi di tutto; e un giorno arrivano gli acquazzoni, i lucertoloni mettono fuori il capo dalla sabbia, e nel tritume di minerali sulle dune crescono fili d'erba.

SETTEMBRE
STUDI VIOLENTI SUI GAMUNA

1. *Storia di Tinker-Taylor e Triboulet*

I primi antropologi che siano andati a stanziarsi tra i Gamuna sono l'americano P.C. Tinker-Taylor e il belga Jean Triboulet; il primo per raccogliere notizie sui riti funerari, il secondo sui riti di iniziazione. Nessuno dei due conosceva l'idioma locale, entrambi dovevano affidarsi a un interprete indigeno. Nel libro che poi hanno scritto insieme, Tinker-Taylor e Triboulet raccontano il grande senso di miseria morale ispirato dal luogo, e il vizio dei Gamuna di mentire sempre, parlando dei miraggi del deserto come di fatti normali della vita. Nella prefazione al loro libro si legge: "Rispondono sempre con quelle favole sui miraggi del deserto. Impossibile svolgere un serio lavoro scientifico. Noi poniamo domande, ma loro guardano il cielo, poi ad un tratto scompaiono tra i cespugli, e si mettono a defecare per un'ora. L'interprete indigeno non ci aiutava, e inoltre diceva che eravamo noi gli allucinati. Tutto era oltremodo esasperante...". Dopo un mese non ce l'hanno più fatta a continuare le ricerche in condizioni così avvilenti, e in uno scatto mattutino di nervi, mentre si faceva la barba, Tinker-Taylor ha sparato in testa al suo interprete indigeno. Intanto Triboulet era già sprofondato in una crisi sentimentale per lo sguardo fulminante d'una donna traumuna. Ma in seguito i due si sono avviliti ancora di più, con gravi depressioni di stampo catatonico, e si trascinavano per le strade di Gamuna Valley in uno stato pietoso, invasi dal sentimento di inutilità della vita.

2. *Calvario di due antropologi*

Di notte capitavano in quei punti della città dove gli abitanti creano i loro salottini per le chiacchiere notturne su mucchi di macerie; si avvicinavano sperando di poter fare qualche domanda scientifica, e di essere presi in considerazione, se non altro per un senso di pietà ispirato dal loro stato di solitudine; ma i Gamuna facevano finta di non vederli e continuavano le loro chiacchiere. Di giorno Triboulet e Tinker-Taylor si sedevano su un marciapiede e tendevano la mano come due mendicanti, per richiamare l'attenzione di qualcuno, ma nessuno gli badava. Allora si davano a gettare ai passanti banconote da un dollaro o anche da dieci dollari, in preda a un fortissimo delirio d'abbandono. Non sapevano più cosa fare, e ricorrevano a quell'estremo rimedio, pensando che gli indigeni non avrebbero potuto resistere all'attrazione del denaro. In quei momenti, tendendo una banconota verso i passanti, i due antropologi sognavano che qualcuno rispondesse alle loro domande, e di fare qualche importante scoperta scientifica, poniamo sui tabù sessuali gamuna, o sulle strutture della parentela. Nessun passante si è mai fermato; anzi, vedendoli come loschi vagabondi, tutti si tenevano ancora di più alla larga. A un certo punto i due si sono rifugiati nel vecchio albergo ai margini della brughiera, dove abitava la sorella Tran, e questa li ha curati con erbe e rimedi magici. Ma il loro stato depressivo era molto avanzato; il loro volto si scarniva, le loro occhiaie si infossavano di giorno in giorno. I due blateravano in preda al delirio: blateravano notte e giorno nel loro gergo da antropologi, di clan totemici, di lignaggi matrilineari, di matrimoni endogamici, e della loro carriera universitaria rovinata per sempre. Alla fine sono riusciti a salvarsi grazie a tre avventurieri francesi, che sul loro elicottero li hanno riportati nelle città dell'interno. Dopo un anno di convalescenza si sono ripresi, e hanno scritto insieme un grosso libro sulle loro dure esperienze tra i Gamuna.

3. Arrivano i paracadutisti

Il libro di Tinker-Taylor e Triboulet ha registrato eccezionali vendite, e tradotto in molte lingue è diventato un classico della letteratura antropologica. Come tale, ha anche imposto l'idea che gli studi sui Gamuna dovessero prendere strade più nuove e meno pericolose. Molti esperti si sono detti: "È mai possibile che in un periodo di grande progresso come il nostro, gli antropologi non possano studiare quelle tribù primitive senza cadere nella disperazione?". Da allora la raccolta di dati scientifici è stata affidata a contingenti di paracadutisti, che ogni tanto sbarcano a Gamuna Valley e torchiano i primi individui capitati sotto mano, per farli parlare dei loro costumi e tradizioni, senza far tante storie e senza raccontare favole sui miraggi del deserto. Ci sono stati pestaggi, contusioni, feriti, per nervosismo dei paracadutisti; ma infine si sono avviati seri studi scientifici sulle tribù gamuniche.

4. Esito inconsulto d'una spedizione tecnico-militare

Una delle ultime spedizioni tecnico-militari in territorio gamuna aveva il compito di raccogliere dati per lo studio delle strutture della parentela tra le etnie del nord est. I paracadutisti hanno rastrellato ogni strada, fatto irruzione in ogni casa, preso a calci chi opponeva resistenza, allo scopo di catturare individui di varie età da sottoporre a interrogatorio. Tutto procedeva come previsto, un collegamento radio con Santo Dios assicurava un corretto svolgimento delle operazioni. Alcuni catturati venivano appesi ai rami d'un enorme albero dei fazzoletti che sorge sulla piazza centrale di Gamuna Valley, e lasciati lì a dondolare nel vento, mentre potenti impianti di registrazione erano accesi per raccogliere testimonianze di prima mano da passare agli scienziati. A quel punto un sergente puntava un bazooka su uno degli appesi, mentre il capitano dei paracadutisti gli intimava di parlare, lanciando urli militari in *palaveral* (la lingua franca del sud ovest). Non si è mai chiarito cosa gli indigeni abbiano compreso di quella cerimonia; ma il fatto è che gli appesi all'albero, invece di terrorizzarsi per le grida del capitano, scoppiavano a ridere ad ogni suo ordine, parlando fitto tra di loro. Ciò avveniva nel tardo pomeriggio. Si tenga conto del modo di parlare gamuna, allegro al mattino, andante al pomeriggio, e sempre più lento verso la sera. Inoltre, a partire dal tardo pomeriggio si intendono con note a bocca chiusa; e quando scende la sera quelle note diventano così prolungate che difficilmente un forestiero può resistere alla sonnolenza dopo aver ascoltato anche soltanto una frase. Nell'occasione, il primo a risentire quegli effetti è stato il sergente che puntava il bazooka; poi gli altri paracadutisti sono piombati tutti in un profondo sonno, nei giardinetti sulla piazza di Gamuna Valley, per risvegliarsi tre giorni dopo in pieno deserto. Come siano arrivati là non si è mai saputo. Si sono risvegliati con formidabili mal di testa, causati da strani miraggi o allucinazioni che spuntavano oltre le dune di sabbia. Al loro ritorno è stata avanzata l'ipotesi che fossero rimasti colpiti da un virus, il che li avrebbe fatti vagare nel deserto per tre giorni in stato di sonnambulismo ipotiroideo. Sono stati sottoposti a violenti esami, per studiare la condizione del loro sistema limbico, tramite elettrodi collegati al terminal d'un calcolatore universitario, ma senza che ciò portasse a nessuna conclusione.

5. Interpretazioni del caso

Uno studioso dell'università di Tulsa ha creduto di trovare la chiave del misterioso avvenimento che ho detto. Perché gli appesi all'albero dei fazzoletti ridevano e parlavano con tanta disinvoltura come se fossero in un bar? Tra i Gamuna non esistono tribunali per regolare le questioni di colpevolezza, in quanto la giustizia da quelle parti è un concetto sconosciuto, se non inverosimile. Ma pare che un tempo esistesse un vecchio tipo di spettacolo teatrale, mutuato da altre popolazioni, che consisteva nella rappresentazione d'una falsa vertenza giudiziaria. E gli anziani ricordano ancora come tutti accorrevano lieti e ciarlieri ogni volta che venivano messi in scena spettacoli del genere, dove alcuni falsi colpevoli erano appesi ai rami d'un albero e interrogati da un falso giudice con voce furibonda. È possibile che i Gamuna appesi abbiano creduto d'essere stati assunti come attori per uno spettacolo comico del genere, offerto dai paracadutisti a beneficio della cittadinanza. Così lo studioso americano. Ma, come ha fatto notare Augustín Bonetti, cosa significa "abbiano creduto"? Il vento che li scuoteva, l'ora del giorno, le chiacchiere medicinali, l'incertezza luminosa del crepuscolo: tutto ciò in quel momento era parte dell'incanto greve che riporta ogni cosa a terra, e ti fa essere quello che sei, secondo il punto dove sei. Dice una sentenza antica che Bonetti traduce: "Tu sei ciò che sei, non voler essere altro. Ridi di ciò che sei, se non vuoi essere altro". (Così parlavano i vecchi sapienti gamuna, un po' come il nostro moderno Zarathustra.)

6. Altra metodologia: prove di laboratorio

Sul finire del 1975 gli scienziati hanno constatato l'insuccesso di tutte le ricerche sul campo svolte a Gamuna Valley, e hanno proposto di rivolgersi alle prove di laboratorio. Uno squadrone di paracadutisti è tornato in territorio gamuna a catturare un gruppo di adulti, ai quali sono stati impiantati elettrodi nel sistema limbico, a ridosso della corteccia cerebrale. Lo scopo era di definire il ruolo dell'ipotalamo nello scarso desiderio di miglioramenti in quel popolo. L'esperimento non ha dato alcun risultato, a parte la morte per palpitazione di otto giovani gamuna, e la fuga di altri per levitazione attraverso la finestra (un trucco magico che adottano quando sono davvero disperati). Esperimenti del genere sono stati egualmente infruttuosi, sia per definire la provenienza che per spiegare la psicologia dei Gamuna. L'espansione della pupilla con il variare dell'interesse per lo stimolo visivo parrebbe assegnare quel popolo a una stirpe dedita da molto tempo all'allevamento dei bovini, poiché il diametro della loro pupilla cresce se vedono la foto d'una vacca, mentre rimane stazionario se si mostra loro un campo coltivato, e infine diminuisce notevolmente se messi di fronte a foto di macchine, navi, motociclette, juke-box. Quest'ultimo esperimento, condotto su una ventina di maschi adulti in seguito ricoverati al manicomio per turbe malinconiche, è stato criticato da altri studiosi per la sua metodologia arretrata. Nessuna risposta consapevole o inconsapevole dei Gamuna risulta attendibile: questa è la tesi ufficiale degli antropologi e psicologi dell'interno. Dunque, dicono quegli altri esperti, occorrerà studiare statisticamente il comportamento d'un centinaio di esemplari maschi e femmine, tenuti in laboratorio come si fa con le puzzole.

7. Studi sulla distribuzione degli insediamenti

L'altro grosso problema affrontato dagli studiosi negli anni 1975-78 è quello della provenienza dei Gamuna. È abbastanza certo che siano giunti nel loro attuale capoluogo venendo dalle regioni del sud ovest; la tesi più verosimile è che siano venuti da una frangia savanicola che sta tra il deserto di sabbia e quelle che sono ora le estreme zone periferiche dell'interno, nel sud est delle grandi città. Ma ponendo che abbiano perso contatto con il grosso delle tribù originarie nella zona ora invasa dalle periferie metropolitane, che fine hanno fatto le altre tribù da cui si sono staccati? Per rispondere alla domanda sono stati introdotti i concetti di "area di gravitazione" e di "sfera d'influenza", in base al modello di Walter Christaller sulla distribuzione degli insediamenti umani. L'ipotesi unanimemente accettata e confermata da molti toponimi, è che le tribù originarie non si siano mai mosse dal loro antico territorio, indi si siano mescolate con altre genti fino all'epoca di pre-espansione delle grandi città, e infine si siano integrate tra le nuove popolazioni delle frange metropolitane. Va anche detto che le città dell'interno non sono ancora state esplorate in modo esauriente, e soltanto da poco tempo sono stati avviati dei seri studi sociologici sugli abitanti dei loro sobborghi, da Santo Dios fino a Majaderia del Este e Coma South. In quelle immense e sovrapopolate periferie, dove bisogna orientarsi con la bussola per tornare a casa, si spera di rintracciare l'origine antica dei Gamuna.

8. I *Gamuna come amigdalo-perturbati*

Un recente programma televisivo ha mostrato come la polizia è al lavoro nelle periferie di Santo Dios, con vasti rastrellamenti notturni. Nell'ombra di quelle strade infossate tra altissimi palazzi fatiscenti, scendono elicotteri con squadroni di poliziotti che rastrellano nottambuli e mendicanti, vagabondi e ubriachi che si sono persi per strada, giovani dall'aria criminaloide e vecchi dall'aria disfatta che erano usciti a fare quattro passi. I rastrellati sono sottoposti a un esame del sangue, per accertare se qualcuno discenda da popolazioni di origine gamunica o paragamunica. Recentemente le autorità hanno introdotto un esame diverso e più complesso, che gli specialisti ritengono possa dare risultati eccellenti. Si tratta dell'esame dell'amigdala, ossia di quella zona del sistema limbico profondamente incassata nel lobo temporale, e considerata responsabile di reazioni emotive come la paura o l'aggressività o l'amore. Gli scienziati sono giunti a definire vari gradi di perturbazione dell'amigdala; e usando le loro tabelle statistiche si può stabilire una precisa graduatoria tra individui amigdalo-perturbati. Ora, poiché è noto che i Gamuna sono un popolo di perturbati, la ricerca scientifica sarà presto in grado di fornire dati sicuri sui loro discendenti nelle periferie del sud est. Fino a qui le cavie gamuna, catturate da squadroni di paracadutisti in missione speciale, hanno dato risultati sorprendenti: è stato dimostrato che il 61% dei Gamuna adulti soffrono di "disfunzione cerebrale minima" (*minimal brain disfunction*), e sono spesso affetti da iperkinesi che andrebbe trattata con dosi di thiroxina; mentre il 39% andrebbero sottoposti senz'altro ad amigdalectomia. Di qui è iniziata la grande ricerca per stabilire quanti abitanti delle città dell'interno vadano schedati come "perturbati di tipo gamunico", vuoi per incroci, discendenza diretta o per una lontana tara ereditaria. Un altro programma televisivo dedicato a questo scottante problema sociale verrà diffuso tra poco anche sulle televisioni americane ed europee.

9. Il grande casellario giudiziale

Nella capitale delle città dell'interno è ormai stato messo in funzione un vasto casellario giudiziale computerizzato, basato sul codice amigdaletico dei rastrellati nelle periferie del sud est – ossia d'una massa di criminaloidi, vagabondi, pedofili, alcolizzati, balbuzienti senza fissa dimora, disoccupati senza alcun motivo, etc. Col grande casellario computerizzato, schiacciando pochi tasti si può avere un immediato quadro statistico della situazione amigdalopatica in tutto il territorio. Inoltre, attraverso le elaborazioni dei grandi computer universitari, si cerca di ricostruire le parentele di ogni rastrellato, sulla linea agnatica (ossia da parte di padre) o del gruppo cognatico (ossia nelle parentele collaterali). In tal modo si spera di giungere a un quadro completo della trafila parentale, che collegherebbe i delinquenti e indesiderabili delle periferie attuali a antenati o collaterali gamunici. L'ipotesi ufficiale è che si tratti di bande nomadiche uscite non si sa come dal deserto e che si sono stanziate illegalmente ai margini delle metropoli negli anni successivi alla seconda guerra mondiale. Di tali bande farebbero parte anche i profeti gamunici della zona di Majaderia del Este, i quali vanno predicando la prossima fine del mondo, associata alla storia dell'origine terricola della specie umana (secondo loro Adamo sarebbe stato un minuscolo insetto abitante negli strati geologici più profondi della terra).

10. *Eredità genetiche di tipo gamunico*

È ferma convinzione degli scienziati che lo scarso desiderio di miglioramenti nella vita personale, e lo scarso desiderio di ottenere riconoscimenti sociali, siano da interpretare come indizi di un'eredità genetica di tipo gamunico (*Gamunic Type Cues*); o comunque, che tali indizi vadano considerati in relazione con le attitudini dei Gamuna, dunque come chiare caratteristiche degli amigdalo-perturbati in generale. Questo è comprovato da altri studi sulla cosiddetta "facies gamunica" (aspetto, colorito, tono muscolare, squallore facciale tipico, con relative tabelle statistiche). Con recente neologismo, si dice che gran parte delle popolazioni nelle periferie del sud est è costituita da perturbati di tipo "amigdalo-gamunico"; in altri termini: da popolazioni di indesiderabili che andrebbero deportati al più presto nelle steppe della provincia di Astornia, secondo il presidente Parson G. La Robbia. E questo è il maggiore risultato della grande ricerca scientifica che ha coinvolto 105 dipartimenti universitari del Este, numerosi laboratori di ricerca, gli uffici-studio di 21 aziende famaceutiche, oltre a vari corpi speciali della polizia. Contemporaneamente, il ministero della ricerca scientifica appoggia e sovvenziona un altro migliaio di scienziati, i quali stanno mettendo a punto metodi di rapido intervento, a scopo di profilassi sociale, sulla ghiandola tiroidea e sulla ghiandola pituitaria degli individui mediamente amigdalo-perturbati o probabili gamunopatici.

11. *Schedature del codice amigdaletico*

Il progetto governativo è di compiere una schedatura del codice amigdaletico di qualsiasi abitante delle città come delle periferie, da Santo Dios fino a Coma South. Quando tale schedatura sarà completata, sarà possibile individuare quale parte della popolazione complessiva discenda da antenati gamunici o paragamunici. Intanto però la creazione del casellario computerizzato col codice amigdaletico di tutti i cittadini ha cominciato a produrre effetti collaterali inattesi. Sempre più frequenti sono i casi in cui la buona reputazione di qualcuno viene distrutta, spandendo la voce che nel suo codice amigdaletico ci sono tracce di GTL (*Gamunic Type Link*). Siccome ancora non esiste un metodo sicuro per determinare le trafile di parentele andando indietro di almeno quattro generazioni, è facile gettare sospetti infamanti su qualcuno che va ostacolato o tolto di mezzo. Parlando di un concorrente nella gara commerciale, o nella gara per una cattedra universitaria, è molto comodo buttar lì una frase vaga del tipo: "Quello là è nipote d'un gamuno-patico di Coma South". È vero che tale calunnia può essere sempre smentita, ma ci vuole tempo per ottenere la scheda-tura del proprio codice esatto, e intanto l'illazione galoppa, e può diffondersi con incalcolabili reazioni a catena – tanto da distruggere la reputazione di un individuo in pochi giorni, e persino far crollare imprese commerciali con alle spalle una seria tradizione che risale all'epoca pre-espansiva delle grandi città.

12. *Nuove direzioni della politica*

Chi è acccusato di avere eredità amigdalopatiche di stampo gamunico, dovrà spendere un patrimonio per diffondere prove scientifiche che lo scagionino. Ma anche così è difficile che si salvi, perché le chiacchiere sono infinitamente più potenti dei responsi scientifici. Ogni uomo politico deve avere al proprio servizio un battaglione di esperti che compiano incessantemente studi per ricostruire le sue più lontane origini e parentele, e al tempo stesso le pubblicizzino sui giornali. Questo è un nuovo mestiere molto ben pagato, verso cui si orientano molti giovani con l'ansia di una carriera sicura: si chiama *Political Genetic Advertising*, ed è il tipo più avanzato di pubblicità politica. Una propaganda del genere può assicurare una brillante ascesa parlamentare anche a qualcuno che viene pubblicamente considerato un imbecille o un truffatore. Tanto, è ormai chiaro che per raggiungere una solida base elettorale occorre: 1) avere un sacco di soldi; 2) procurarsi certificati scientifici di purezza razziale non amigdalopatica; 3) evitare ogni accusa di connubi con soggetti di origine gamunica o paragamunica; 4) proclamare ai quattro venti la propria ostilità per quel popolo di inetti e imbecilli desertani, in-

cludendo tra i propri slogan anche quello del "pericolo gamuna". Nessuno sa cosa voglia dire quello slogan, ma è vero che gli elettori paventano sempre sofferenze e disagi, e
temono un'invasione da parte delle bande dell'Onianti gui-
date dal dittatore orbo Ughadai, che loro scambiano comu-
nemente con i Gamuna o i Traumuna.

SETTEMBRE-OTTOBRE
ECONOMIA, GLORIA E SANTITÀ

1. *A proposito di popolazioni*

Le campagne qui intorno sono abbastanza spopolate, ma spesso ho l'idea che certi punti siano abitati, anche se vuoti – come se ci fossero popolazioni nascoste nei fossi, dietro i cespugli, dentro i pozzi, che aspettano che io mi allontani per saltare fuori e riprendere le loro abitudini d'un tempo. Altre volte al mattino tra i campi trovo le tracce d'una colluttazione notturna: un istrice deve essere stato attaccato da qualche bestia e vedo i suoi aculei lungo il bordo della strada. Ecco esempi di vita animale, misteriosa come quella degli uomini. Ieri ero uscito con l'idea di andare in bicicletta a trovare il mio amico Joël Masson, e sulla salita di Martainville un uccello da preda con ali spalancate puntava dritto su di me come su un nemico. Sono scivolato con la ruota nel fosso, poi mi è venuto in mente che se mi fossi rotto una caviglia, chi veniva a tirarmi su? Verso sera non c'è più nessuno in giro, salvo poche vacche nei prati, uccelli notturni, qualche cinghiale vagante, qualche faina. Questa è la vita delle popolazioni, ognuna chiusa nelle proprie abitudini, nel gioco dei suoi misteriosi atti. Come i Gamuna, che ogni tanto litigano e si rotolano per terra in furori nevrastenici, mordendosi l'un l'altro le orecchie: e tutto questo per sentirsi uniti – per non sentirsi soli al mondo, ma dentro alla pasta delle abitudini insieme agli altri.

2. *Criterio della proprietà dei beni*

In un articolo in inglese intitolato *Gamunic Economy and the Desire Factor*, Bonetti spiega la concezione gamuna della proprietà. La forma prevalente di ricchezza è data dal possesso di campi d'orzo o di mais, nonché da galline, pecore, capre, vacche, lasciate a pascolare in certe zone della brughiera. Se però si chiede ad un Gamuna di chi è quel campo dove coltiva il mais, o quelle pecore che porta al pascolo, o gli attrezzi e manufatti domestici che sono a casa sua, lui vi risponderà puntualmente che li ha avuti in prestito dal tal dei tali. Se poi si risale al prestatore, anche lui vi dirà che li ha avuti in prestito da qualcun altro, e quell'altro dirà che li ha avuti in prestito da uno zio o da un nonno. Risulta dunque che ognuno considera quanto possiede come un prestito avuto da un amico, da un parente, da un antenato, un prestito che può lasciare in eredità ai figli ma soltanto come ulteriore prestito. Fin qui tutto è chiaro, e gli economisti sono d'accordo. Ma facciamo il caso di qualcuno che si è ficcato in testa di diventare ricco: per prima cosa costui rivendicherà i prestiti fatti dai suoi antenati; e per farlo dovrà assoldare dei raccontatori di storie che enumerino e divulghino le proprietà di suoi antenati o falsi antenati, onde convincere tutti che le sue pretese sono ben fondate sebbene indubbiamente false. Ma il vero e il falso non contano più niente: conta l'arte dei raccontatori, i quali devono andare in giro raccontando storie epiche che facciano strabuzzare gli occhi alla gente, favole di antenati leggendari del tempo in cui tribù gamuna dominavano il mondo. Ciò corrisponde a un'immediata acquisizione di gloria da parte dell'aspirante ricco, per cui l'altro non parimenti glorificato dovrà rinunciare ai propri beni, per non essere guardato da tutti come un pitocco e guastafeste. Dopo di che i vecchi del consiglio cittadino, mentre bevono una cassa di birra offerta dal neo-proprietario, ratificano il suo diritto a considerare quei campi, bestie o utensili come roba sua.

3. L'esempio del povero Gonghi e del ricco Fonghi

È vero che l'altro potrebbe assoldare altri raccontatori, affinché spandano la voce che quelle cose in realtà appartenevano a un suo antenato o falso antenato, e non a quello vero o falso dell'aspirante ricco. Ma questo non succede quasi mai, perché produce un inutile strascico di parole che alla fine infastidisce tutti. Da considerare anche che un ricco è sempre più attivo del povero, e una volta partito con la sua fissazione di possedere davvero qualcosa (che notoriamente è una delle più forti allucinazioni di fata morgana) non si ferma più e acquisisce sempre più roba. Sicché può succedere che mentre il povero Gonghi dal suo campo eleva proteste contro il ricco Fonghi perché gli ha rubato sei pecore, Fonghi arriva e gli fa notare che neanche il campo dove tiene i piedi gli appartiene più, perché il consiglio cittadino glielo ha assegnato cinque minuti prima. Cosa fa allora il povero Gonghi? Si accorge che le allucinazioni l'hanno imbrogliato, e ulula e maledice la sua vita rovinata dai miraggi del deserto, e si dà pugni in testa o va in giro facendo altri atti stravaganti. Questo è sentito dai Gamuna come un delirio che non si deve contrastare, essendo la malattia "del cane disperato nella notte": malattia noiosa, ma che si cura con le chiacchiere medicinali nei raduni notturni. Le chiacchiere placano anche le disperazioni più acute, perché si resta in circolo nel buio a parlare e intanto il tempo passa, le parole non hanno più peso, e si dimenticano i propri guai, soprattutto se spira una fresca brezza dal deserto.

4. *La via della ragione nel comodo universale*

Se un uomo ricco è veramente ricco e ci tiene alla gloria, potrà fare una mossa che lo innalza al di sopra di tante meschine controversie. Questa mossa consiste in una generosa concessione con cui il ricco permette a quell'altro (rimasto un povero normale Gonghi scarso di gloria) di servirsi d'un suo campo o del suo bestiame (del campo o del bestiame sottratti dal ricco Fonghi al povero Gonghi scarso di gloria), dietro pagamento annuale d'un certo numero di noci di trepeu, o con altra moneta contante, tipo dollari o sterline. Tante volte poi succede che per avere quella beneficenza, il tipo scarso di gloria deve dare via tutto quello che ha in casa, cucchiai, forchette, mobili, vecchie bottiglie, profumi, anelli, turaccioli, vestiti, o impegnare quei ritratti a olio molto richiesti. Molti neo-ricchi vivono così senza fare niente, vendendo le noci di trepeu agli importatori delle città dell'interno, e sono tenuti in altissimo rispetto dai miseri beneficati, nonché dalla popolazione tutta. Questa viene chiamata dai più istruiti neo-ricchi "la via della ragione nel comodo universale dell'uomo responsabile", secondo la formula usata da un loro santo predicatore, il santo Pete Ponghi, di cui restano molti detti economici. E tra i neo-ricchi si fa a gara nel compiere atti di generosa concessione ai meno gloriati, atti che innalzano l'uomo al di sopra delle bestie e forse un giorno lo eleveranno anche al di sopra della morte e putrefazione della carne, secondo il santo Ponghi (protettore degli affaristi).

5. *Nota sul santo Pete Ponghi*

Sul santo Pete Ponghi ho poche notizie. Bonetti non lo considera un Gamuna. In un articolo lo definisce una spia dei gringos, in un altro un dirigente dei Testimoni di Geova. Più probabile è la descrizione in un terzo articolo, dove lo identifica con un miliardario di Seattle che s'era messo in testa di diffondere il vangelo del business come la vera liberazione dell'uomo nella trascendenza assoluta del denaro. Non si sa quando sia sbarcato a Gamuna Valley, ma deve essere passato da quelle parti, fondando scuole dove si insegna la dottrina del business trascendentale. Oppure può darsi che siano passati di lì dei predicatori suoi affiliati. Comunque sua deve essere la formula che molti ricchi gamuna ora ripetono continuamente: "La via della ragione nel comodo universale". Quanto al cognome locale Ponghi, sarebbe la storpiatura d'un cognome anglosassone non identificato.

6. *Si deve trattare il neo-ricco con rispetto?*

Con i suoi maneggi, il ricco o aspirante ricco manifesta indubbiamente una forma di grave demenza: è la demenza di voler possedere veramente qualcosa, qualcosa che sia proprio suo e di nessun altro. I Gamuna fanno sempre finta di non accorgersene, temendo che magari il neo-ricco si impermalisca e per ripicca voglia sottomettere tutti alle sue assurde pretese. Ora, un personaggio del genere a Gamuna Valley viene trattato da tutti con gravità e condiscendenza, in considerazione della sua malattia mentale: sì, ma in un modo così prudente che lui crede d'essere trattato davvero con rispetto. E infatti sembra che lo trattino con rispetto, e forse ognuno lo tratta con rispetto, ma pensando alla demenza del ricco che ha sempre la smania di metterti sotto i piedi. È una questione di usanze, dice Bonetti, e le usanze d'un popolo non sono mai criticabili. Ma è anche vero che mostrando al ricco tanto rispetto si stimola il suo delirio, e si fa sì che lui accampi sempre più pretese, e continui le sue angherie, fino a quando la malattia lo trasformerà in un povero bagolone senile.

7. *"Racconti del cane che stravede"*

Gli anziani gamuna dicono che i risultati del lavoro non consistono in beni concreti, o nella sicurezza al riparo d'un tetto, o in qualcosa che rechi beneficio alla famiglia o ad altri. Questi sono effetti collaterali, oppure dei paraventi per nascondere il vero succo della questione. In realtà ognuno si dà da fare, dicono, perché vuole essere glorificato: e lavora, vende, compra, ruba, si agita, suda, imbroglia per ottenere una glorificazione familiare, o una glorificazione tra gli amici del bar, o la glorificazione sotto il portico dei commerci. Si vive con quel miraggio, e quello stesso miraggio ci mette in testa di avere sprecato la vita se non siamo abbastanza glorificati dagli altri. Dunque gli anziani, quando incontrano un giovane che cerca di essere glorificato, non sono avari di lodi, anzi gliene cantano tante che lui si sbalordisce, poi si esalta, poi trema tutto, poi comincia a insospettirsi, poi a fiutare che la gloria è una minestra di parole, e infine ad accorgersi che è sempre una minestra riscaldata. Questo è uno scherzo spesso rappresentato sotto il portico dei commerci, e serve a far capire che la gloria è solo una pazzia delle parole. Infatti gli anziani chiamano le glorificazioni e ogni sicumera per innalzare o schiacciare qualcuno: "racconti del cane che stravede" (*anti kani bilolok*).

8. *Ciclo delle glorie*

Gli anziani gamuna sanno che il desiderio d'essere glorificati è come il bollore che viene quando si spasima nelle voglie carnali; e sanno che le giovani femmine sentono la gloria pubblica del maschio come un richiamo della sua verga eretta. Per cui non c'è possibilità di salvezza quando si è giovani, col sangue che ribolle nelle vene, con la furia maschile di montare le femmine, con quella femminile di essere montate dai maschi più glorificati. Del resto, dicono anche gli anziani, lo strano desiderio di gloria non dipende dall'individuo, ma dal solito incanto greve che tira tutto verso il basso. Dunque non è possibile resistergli, almeno fino a quando non comincia a dissolversi con l'età: perché nell'età avanzata le ossa si rimpiccioliscono, la carne diventa più fragile, il sangue circola meno, e tutto il corpo diventa meno soggetto alle attrattive esterne. Solo allora i "racconti del cane che stravede" cominciano ad apparire ridicoli, e molti vecchi pensandoci se la ridono tra sé, mentre altri si pentono delle ambizioni che li hanno spinti a darsi da fare per essere gloriati. Ecco la rivelazione portata dal vento del deserto, quando qualcuno è pronto a sentirla nei ventricoli del cuore; ed ecco perché molti anziani a un certo punto cominciano a evitare le lodi, dimenticarsi la gloria, perdere ogni ricchezza. Diventano apatici, fanno sempre degli sbagli, sono guardati come dei rimbecilliti, proclamano loro stessi d'essere dei buoni a nulla. Perché vogliono avvicinarsi alla morte come un'ombra che scompare da un muro senza lasciare traccia, e si sentono più pacificati così.

9. *Divorzi sulla quarantina*

Dopo una fase di glorificazione necessaria per il commercio matrimoniale, le donne spesso si stancano di queste cose, e sprofondano nella sciatteria, se non nell'indecenza vera e propria, standosene a gruppi nella parte femminile d'una casa a bere e fumare e chiacchierare tutto il giorno. A partire dai trenta-quarant'anni, molte cominciano anche a fumare la pipa con un tabacco dall'odore sgradevole ma con effetti d'oblio; ciò impedisce ogni ulteriore glorificazione della loro bellezza o bontà o saggezza, e al tempo stesso le mette in vena di deridere i maschi ancora invischiati nei sogni di gloria. I mariti si trovano perfino incapacitati ad avere con loro accoppiamenti matrimoniali; e debbono cercare altre donne più giovani, impelagarsi in nuovi commerci matrimoniali che li costringono a lavorare ancora di più, per presentarsi con sufficienti donativi e gloria alla cerimonia d'accoppiamento. Momento cruciale, perché a una certa età è difficile fare bene la parte dell'amoroso, e spesso vengono dei sogni terrificanti che danno la voglia di scappare nel deserto e non farsi mai più vedere. "Non farsi mai più vedere!" Ah, che miraggio, che follia! Ma devono continuare, intrigarsi ancora in altri traffici, in altre incertezze – non sono ancora liberi dalla vita!

10. *Preghiere per finirla con tante storie*

Molti adulti gamuna a partire da una certa età cominciano a pregare l'Essere del Largo Riposo, affinché li faccia giungere in fretta all'abbandono delle tentazioni di gloria. Ma questo cambiamento di rotta è sempre difficile da raggiungere, e soltanto in età avanzata alcuni lo raggiungono, quando il loro cuore non cerca più consensi presso chiunque. Naturalmente dipende dal lavoro che uno fa. I pastori della brughiera e i raccoglitori di noci di trepeu, che passano mesi lontano dal capoluogo e in completa solitudine, hanno poco bisogno di pentirsi delle voglie di gloria. Mentre per chi ha trascorso la vita sotto il portico dei commerci, o per quelli che si sono dati al mestiere di raccontatori sperando di ricevere molti applausi, quel cambiamento è una cosa ardua e praticamente impensabile come la morte.

11. *L'essenza del "tempo perso" che rinfresca la mente*

Sulla piazza centrale c'è un vasto portico dove gli abitanti più anziani e più ricchi si radunano. Lì si può notare spesso qualcuno che cerca di sbarazzarsi del proprio patrimonio, o della fama di bravo commerciante raggiunta nel corso della vita. Finge di sbagliarsi, si lascia ingannare, risponde a sproposito, disperdendo nella confusione e nello stordimento tutta la sua gloria, in modo da ridurre i risultati del lavoro di anni e anni alla sostanza cosiddetta del "tempo perso". Attorno a quel portico, donne con vestiti variopinti vendono tale essenza in piccole ampolle, che molti anziani acquistano per curarsi dal mal di testa o ai denti. Perché si suppone che l'essenza del "tempo perso" (considerata una pozione magica), possa rinfrescare il cervello e il sangue, rallentare i battiti del cuore, distendere la pelle del volto contratta dal nervosismo, e orientare il naso verso un buonissimo affare. Gli affari migliori ispirati da tale essenza (che si aspira accostando l'ampolla alle narici) sono quelli che trasformano un ricco e stimato cittadino in una completa nullità, nel giro di pochi minuti. Oltre ai mugugni melodici a bocca chiusa che si levano da vari punti delle città, in certe sere estive si sente nell'aria l'essenza del "tempo perso", come un profumo che ti lascia tranquillo nel buio senza pensieri, senza i turbamenti dell'insonnia carica di ricordi, ma anche con la dolcezza del vivere sospeso e transitorio fino alla luce del mattino.

12. *Canti del cambiamento*

Astafali racconta che al tramonto si vedono certi vecchi andare in giro facendo capriole nel fango, insozzati di sterco, con addosso pelli di pecora ed emettendo belati pietosi. Altri con ridicole corna di vacca in testa vanno esibendo in pubblico i loro pietosi genitali, ridacchiando come se fossero la cosa più ridicola del mondo. Sono anziani che fanno gli esercizi del cambiamento, già sulla via della santità; e dopo mesi dedicati a simili esercizi, sollevano una smorfia asciutta negli astanti: segno d'un destino diverso e ormai irrimediabile. Quello è il segnale che nessuna loro glorificazione sarà più possibile e che tutta la loro vita si è finalmente risolta in un puro spreco di tempo secondo il volere dell'Essere del Largo Respiro. Solo a questo punto l'uomo potrà avere la certezza che la propria vita sia stata soltanto un bagliore d'iridescenza, uno spettacolo a vuoto come tanti altri, tutto brulicante di sensazioni, ma effimero come un'ombra su un muro o come il riverbero dei raggi del sole su una duna di sabbia. Il raggiungimento di tale certezza ispira canzoni molto melodiose, che si sentono levarsi a notte tarda dai margini della brughiera. Quelle canzoni, con parole bellissime ma incomprensibili, sono cantate in modo che ascoltandole non si sa mai se ridere o se commuoversi. Lo sguardo serale di certi anziani vestiti di stracci esprime la stessa particolare incertezza, ed è un segno sicuro di santità.

NOVEMBRE
LA FINE DI GAMUNA VALLEY

1. *Incontri calcistici tra i ceppi tribali*

La popolazione di Gamuna Valley si divide in otto lignaggi, e ogni lignaggio comprende un certo numero di famiglie. Le famiglie o clan familiari si diramano in tre ceppi tribali, i Gamuna, i Traumuna e gli Tsiuna, con tre capi riconosciuti ma senza nessun potere. Di fatto i tre ceppi tribali hanno dimenticato i nomi dei loro antenati, mescolato e confuso le loro tradizioni, e i clan familiari si espandono nell'uno o nell'altro ceppo indifferentemente, con dei Fonghi e dei Wanghi e dei Ponghi in tutte le direzioni. L'unica cosa che tiene ancora in piedi lo spirito delle tribù sono le tre squadre di calcio della cittadina gamuna. Queste squadre si incontrano qualche volta all'anno in partite estenuanti di giorni e giorni; ma a parte il fatto che non hanno mai un pallone veramente gonfio, e spesso danno calci a un pezzo di cuoio quasi piatto, il fotografo Salimbene diceva che giocano tutte e tre malissimo, e anzi non sanno proprio giocare. Secondo Bonetti, fanno le mosse di giocare a calcio in un misero campetto di sabbia vicino alla vecchia stazione, ma pensando ad altro. Si può dire che di fatto la vera partita non la giocano sul campo di Gamuna Valley bensì nel palazzo del despota del sonno Boro Trai.

2. *La vera partita*

Quando ci sono questi incontri calcistici, i giocatori si presentano nel misero campetto vicino alla Porta Sud, senza scarpe da football né maglie col numero. Sembrano svegli, ma non tanto; non guardano nessuno, cominciano a giocare con l'aria di non esserci del tutto. E qui si nota che non sanno tirare un cross, non sanno fare un dribbling, non vedono la palla, vanno avanti alla cieca. Chiaramente giocano in uno stato di sonnambulismo. Lo straniero si domanda: ma cosa succede? Quello che non sa è il risvolto della scena. Quando i 22 sonnambuli si presentano sul campo di Porta Sud, in realtà sono già col pensiero nella fortezza di Boro, dove portano regolari scarpe da football, magliette col numero e col nome del giocatore. Si presentano davanti a migliaia di tifosi, tra cui i commercianti che viaggiano sul circuito di Kattalyna, e le tribù di indesiderabili delle periferie, e le congreghe degli antichi sapienti gamunici, perfino gruppi di banditi Matuma. E quando cominciano a giocare, si vede subito come corrono, come sanno smistare la palla, fare dei lanci in profondità, tirare in porta. Si vede che sono dei campioni all'altezza delle migliori squadre europee, e che potrebbero battere il Barcellona, il Celtic, la Juventus, forse persino le squadre brasiliane. Ecco la differenza tra quello che si vede e quello che sono nella realtà, le partite di calcio che si svolgono tra le tribù di Gamuna Valley.

3. *Specificazione della scena calcistica*

Poniamo che il Gamuna Football Club incontri la Società Sportiva Traumuna. Sono in uno stadio tutto illuminato, con le tribune e le gradinate colme di gente; il tiranno Boro sta più in alto di tutti, steso su un letto, da cui le sue trippe e il suo grassume colano giù fino ai bordi del campo (il grasso è segno della sua potenza). La partita è dedicata a lui, come sempre; serve per calcolare quanto tempo durerà ancora il suo regno del sonno, prima che tutto precipiti nella rovina. Questo si calcola dal numero di goal fatti dall'una e dall'altra squadra, le quali squadre debbono giocare senza sosta fin quando tutti i giocatori cadono per terra stremati o morti. Poi la squadra vincente dovrà incontrarsi con la terza formazione di Gamuna Valley, la Società Sportiva Tsiuna. Il torneo finirà solo quando le tre squadre non avranno fatto e incassato un eguale numero di goal, che formeranno la cifra per calcolare la fine del regno di Boro – ovvero l'annuncio del banchetto in cui il tiranno si toglierà la vita a forza di mangiare, assieme a 1000 sudditi fedelissimi. Chi vede la partita stando a Gamuna Valley non ha nessuna idea di tutto questo retroscena, e vede solo 22 sonnambuli che corrono dietro un pallone mezzo sgonfio, inciampando l'uno nell'altro, e continuando a correre per un tempo indefinito. Ma, diceva il Wanghi Wanghi, un Gamuna deve vedere la realtà delle cose dietro l'allucinazione che fa vedere una partita di calcio come se fosse soltanto una partita di calcio.

4. *Qui passiamo a un altro argomento*

I primi studi non violenti sui Gamuna si debbono al colonnello pilota argentino Augustín Bonetti, precipitato molti anni fa col proprio aereo ai limiti del deserto e ivi deceduto, secondo una versione da lui stesso divulgata. In realtà dopo il decesso, il medesimo Bonetti ha pubblicato una trentina di articoli su riviste varie, presentando il proprio incontro con i Gamuna come una faccenda di per sé normale, benché tale da richiedere un lungo adattamento. L'adattamento consisteva soprattutto in questo: nell'abituarsi a esistere alla maniera dei Gamuna, entrando in una specie di addormentamento o stato di catalessi attiva chiamato *ta*. Che poi da morto o in catalessi abbia potuto redigere tanti articoli con una macchina da scrivere Olivetti, è chiaramente una pretesa assurda o la bravata d'un mistificatore. In ogni caso questo ha convinto gli esperti che gli scritti di Bonetti vadano considerati come un cumulo di invenzioni uscite dalla mente d'un mitomane. Ci sono state polemiche sui giornali, dichiarazioni dell'autore e focose smentite; finché un gruppo di psicologi ha proposto di spedire un contingente di paracadutisti, per catturare il mistificatore argentino e studiare il suo sistema limbico tramite elettrodi collegati al grande calcolatore universitario. Infine, durante il dodicesimo convegno mondiale dedicato a razze e popolazioni scarsamente osservate, è stato deciso all'unanimità che il nome di Augustín Bonetti non debba mai più essere citato in alcun corso universitario, né in alcuna futura pubblicazione di carattere scientifico o anche divulgativo.

5. *Il caso Bonetti*

Nonostante le scomuniche, la denominazione correntemente accettata del capoluogo gamuna rimane quella attribuitagli da Bonetti nel suo primo articolo. In seguito egli aveva tentato di rettificare quel nome, adducendo nuove scoperte sul *ta*, ma le sue scoperte sono state giudicate antiscientifiche e la denominazione di Gamuna Valley è rimasta. Ed ecco di cosa si tratta. Bonetti aveva spiegato che il nome della cittadina in lingua locale è *Gamuna-Ta*, dove *gamuna* vuol dire "noi che siamo qui", mentre *ta* significa "questo", ma viene usato anche per dire "valle". Di qui l'errata traduzione inglese come Gamuna Valley. Questa rettifica avrebbe potuto bastare, ma l'argentino non ha resistito alla tentazione di chiedersi cosa può voler dire "noi che siamo qui nel questo", ossia nel *ta* (*gamuna-ta*). Di qui in poi il suo articolo diventa una congerie di discorsi che gli esperti hanno giudicato inaccettabili, oltre che sintomi di una mente alterata. Bonetti dice che per i Gamuna niente ha esistenza fuori dal *ta*, fuori dallo spazio vuoto che si riempie con la nostra presenza tra i miraggi di fata morgana. Da ciò conclude che la più esatta traduzione di *gamuna-ta* dovrebbe suonare così: "Noi che siamo qui a tenere il posto nel vuoto come miraggi del deserto". Si può immaginare lo sdegno che tale interpretazione ha scatenato nel mondo scientifico. L'argentino pretendeva di spiegare tutto senza prove di fatto, poi voleva darla a bere su qualcosa chiamato *ta*, che non si capisce cosa sia – ma infine: voleva forse insinuare che il paese dei Gamuna è una specie di terra di morti che vagano senza scopo, solo per ricongiungersi con la propria nullità? E chi crede più a fantasie del genere?

6. *Il* ta *secondo la sorella Tran*

La sorella Tran dice che l'incanto del *ta* si sente bene negli angoli di una casa, nelle soffitte, nei cassetti, negli armadi. Lì le cose stanno in riposo nella loro ignoranza. Si sente anche nelle latrine, nei sottoscala, nei camerini dove ci si chiude, come quello sul pianerottolo nella casa dell'Ajraia dove la nostra sorella si andava a chiudere per stare da sola. Riposandosi in uno spazio piccolo, il *ta* porta i pensieri del vasto, che sono stati di sospensione concentrati nei momenti vuoti. I momenti vuoti sono come i cassetti, come armadi, punti dove le cose stanno in riposo nella loro ignoranza, per ritornare fuori un giorno chissà quando. I pensieri sprofondano nella lentezza dei momenti vuoti, ed è come metterli in un cassetto perché riposino. Il *ta* è il vasto ed è la lentezza che ci vuole per prendere dentro la vastità. Non si può mai fargli fretta; non si può scavalcare la lentezza del presente con un calcolo sul domani...

7. C'è anche Pigo da considerare

Dopo la partenza dei Figli del Deserto, Pigo Monghi aveva finalmente abbracciato il mestiere del raccontatore di storie ed era abbastanza ricercato per i suoi racconti. La regola dice che un raccontatore dovrebbe vivere soltanto con i doni che gli sono stati fatti per amore delle parole, e con lo stretto necessario per andare avanti; e non dovrebbe mai accettare il favore cieco della clientela che lo applaude, ma scrollarselo di dosso a ogni storia che racconta. In questo Pigo Monghi era diverso dagli altri raccontatori, perché seguiva la regola senza compromessi. Quando non riceveva doni per le sue storie, digiunava; e rifuggiva il favore cieco degli applausi, ispirandosi alla sapienza dei *tunga du*, gli insetti da cui discenderebbe la specie umana. La più famosa storia del suo repertorio è quella del vasaio Pigo Monghi, suo antenato, che illustra una serie di insegnamenti sui limiti del *ta*.

8. Storia del vasaio, prima puntata

Pigo Monghi era un giovane vasaio molto orgoglioso dei propri vasi che tutti decantavano. Un giorno un vecchio vasaio lo va a trovare e dice: "Vuoi sapere la verità? I tuoi vasi non stanno in piedi, traballano tutti. La base è fatta male, c'è sempre lo stesso difetto". Pigo: "Allora insegnami a fare un vaso che non traballi". L'altro: "Doveva insegnartelo tuo padre, ma anche i suoi vasi traballavano come i tuoi". Pigo: "Come posso fare?". L'altro: "Devi andare in cerca di tuo nonno". Ora il nonno di Pigo era scomparso dalla circolazione ormai da un pezzo, nessuno sapeva se fosse morto o vivo, e l'unica soluzione per Pigo era di mettersi a cercarlo dovunque. Se non lo trovava nella brughiera, forse poteva trovare il suo spirito che vagava ai limiti dell'immenso deserto di sabbia, e chiedergli come si fa a fare un vaso che non traballi. Così Pigo si carica in spalla la sua ruota da vasaio e si avvia fuori città. Poco dopo arriva nella zona di laghetti e pantani creati dai corsi d'acqua che scendono dal massiccio basaltico, dove la brughiera si riempie di macchie boschive. Qui abitano gli spiriti straniti, come certe creature selvatiche mai viste da nessuno e chiamate "donne-gatto", e soprattutto dei fantasmi vaganti che i Gamuna chiamano "capioni" (*kap-ion*). Un giorno Pigo incontra sul suo sentiero un capione, che si presenta in una tenuta bizzarra: cioè senza il corpo, ma vestito con un cappello coloniale di sughero, giubba da esercito coloniale, stivali da soldato coloniale, occhiate storte da colonnello d'un reggimento coloniale. Si capiva che gli sarebbe piaciuto darsi delle arie urlando ordini forsennati come gli antichi militari coloniali, e pretendeva di trovarsi un servitore indigeno che gli pulisse gli stivali.

9. *Storia del vasaio, seconda puntata*

In quel momento passava di lì uno sciame di zanzare delle paludi, e Pigo si è ricordato d'essere imparentato con quelle zanzare per via di madre; e siccome il capione insisteva a volerlo prendere come suo servitore indigeno, lui ha chiesto aiuto alle zanzare. Queste si sono lanciate subito sul fantasma, ronzandogli dentro la divisa coloniale fino a renderlo stralunato; per cui quel povero fantasma gridava a Pigo: "Falle smettere, falle smettere, e diventerò io il tuo servitore". Il capione promette di portarlo da suo nonno. Ai capioni piace molto servire un vivo, perché così possono andare a spasso facendo da guide nella brughiera e ascoltando storie balorde su altri capioni. Ma nel caso di Pigo, il fantasma che gli era capitato come guida era uno che camminava tutto di sbieco. Non riusciva a andare dritto, pencolava sempre a destra; sicché a forza di pencolare finisce che i due hanno preso un sentiero sbagliato e si sono ritrovati nella zona delle sabbie mobili. Naturalmente il fantasma non ci badava, perché non aveva corpo; ma Pigo è subito sprofondato e stava per morire. Quelle erano le famose sabbie mobili parlanti, che volevano sempre informarsi su chi sprofondava dentro di loro. Dunque chiedono a Pigo: "Cosa cerchi?". Pigo: "Cerco mio nonno". Poi spiega la faccenda dei suoi vasi, che tutti lodano ma che non stanno in piedi per un difetto alla base. Le sabbie mobili convengono che è giusto fare dei vasi come si deve, e gli dicono: "Vai per quel sentiero e troverai tuo nonno, ma stai attento che il capione pencola a destra".

10. *Storia del vasaio, terza puntata*

Così Pigo si è rimesso in spalla la ruota da vasaio, e riparte in cerca di suo nonno, seguendo il sentiero indicato e senza più farsi guidare dal capione. Dopo un giorno arriva in un posto strano: una vastissima pianura, e al centro un grande albero di catalpa con bracci rampicanti e fiori a campanula, ma così alto da toccare quasi la costellazione del Vitulé. E qui il capione non vuole più andare avanti, comincia a mugolare, si scava un buco e si nasconde sottoterra dicendo che là... là.. là... Cosa? Intorno al fusto altissimo di quell'albero c'è gente che gira trascinando i piedi, mandando sospiri che arrivano fino a Pigo. Ma poi Pigo s'accorge che là ci sono soltanto dei piedi con relative gambe che girano intorno al fusto di quell'albero, mentre i tronchi con relative teste di quelli che sospirano sono appoggiati per terra da un'altra parte, come tante statuette. Intanto il capione mugola, ha una paura matta, e si ficca ancora di più nel buco per terra. Pigo non gli bada perché sta parlando con quelli che sospirano scorporati dai propri piedi, e sono loro che gli dicono: "Guarda qua che fine abbiamo fatto! Solo i nostri piedi sono rimasti nel *ta*, e a noi ci tocca di sospirare così scorporati, con la testa da una parte e i piedi dall'altra! Attento che non ti succeda lo stesso!". Questo racconto continua, ma ora devo cambiare argomento perché mi restano molte cose da dire, e passo a un altro racconto di Pigo Monghi.

11. *Nella biblioteca Lestoffen*

Verso la fine dell'anno era giunta notizia che i mercenari del generale Grondego stavano scendendo dalle creste del Muskadù. Si trattava di decidere come difendere Gamuna Valley, ed è stata convocata un'assemblea nella biblioteca Lestoffen sulla Seconda Avenue. Ma subito s'è visto che nessuno era d'accordo con nessuno: subito tutti a darsi torto, gli uni con gli altri, i capi d'un partito con quelli d'un altro partito, i Traumuna con i Gamuna, fino ai membri d'una stessa famiglia. Bisogna considerare che la biblioteca Lestoffen era un grande spazio sotto una cupola, come la sala di lettura del British Museum, stesso stile. Ebbene, il racconto fatto da Pigo Monghi dice che dopo un'ora quella sala era irriconoscibile, perché i convenuti erano passati dai litigi e gli insulti ai lanci di libri, di dizionari, di enciclopedie a portata di mano, mentre altri smantellavano gli scaffali della biblioteca per munirsi di assi da dare in testa a chi li contraddiceva. Ora ognuno sentiva il sangue che gli montava alla testa, e sentiva i pensieri che vorrebbero uscir fuori a fiotti per entrare nella testa degli altri, perché ognuno doveva dar sfogo agli incubi che lo turbavano. Secondo Bonetti quello è il modo gamuna di sentirsi una comunità unita; ed ecco perché bisogna ricorrere agli urli e agli insulti, per trovare un contatto con gli altri; perché senza litigi un Gamuna si sente solo, perduto, soprattutto se incombono dei pericoli come l'arrivo dei mercenari di Grondego. Ma qui succede un fatto imprevedibile, dice Pigo Monghi. In quella baraonda nella biblioteca Lestoffen, d'un tratto tutti si sentivano usciti dal *ta*, cioè con i piedi che non trovavano più il terreno, forse con l'impressione di precipitare dalla tromba delle scale senza più neanche una maniglia per attaccarsi; ma anche con l'idea che non ci fosse più un qui o un là, e nessuno posto dove stare; e tutto così vasto e spalancato che non c'era più modo di orientarsi. È allora che si è fatto avanti un capo traumuna, dicendo che dovevano stare calmi e lasciarsi guidare da lui che era il loro "re" (*krock*). Proprio così. Re Matapan, si è fatto chiamare, come l'antico re Matapan dei tempi in cui le tribù traumuna dominavano il mondo.

12. *Re Matapan sale al trono*

Dopo la tumultuosa assemblea, quel capo dei Traumuna è stato acclamato re di Gamuna Valley. Non si sa come sia successo. Dovevano decidere come affrontare i mercenari del generale Grondego, ma tutti avevano perso la testa, avevano disfatto mezza biblioteca, sfasciato i tavoli di lettura, devastato i cassetti con le schede del catalogo. Nella foga di sentirsi uniti come patrioti che difendono la patria, tutti avevano cominciato a sparare cazzotti, tirarsi grossi tomi enciclopedici, usare le assi degli scaffali per spaccare la testa a qualcuno. Avevano il pensiero di colpire i nemici, ma si picchiavano tra di loro, forse stravolti dal panico di dover affrontare i selvaggi dell'Onianti. Fatto sta che nessuno ha capito come mai si sono trovati tutti ad applaudire un capo traumuna, gridando: "Viva Matapan, re di Gamuna Valley!". Era come se si svegliassero da un sonno ma piombando dentro un sogno, dice Pigo. Un enigma anche il discorso di re Matapan, che nessuno ha udito, ma che tutti credevano di ricordare bene. I rappresentanti dei quartieri, i capi delle fazioni politiche, i neo-ricchi con i loro segretari, erano tutti contentissimi di quel discorso, perché diceva che non c'era da aver paura ci pensava re Matapan a affrontare i selvaggi dell'Onianti, loro potevano andare a dormire e dimenticare la vita diurna. Perché re Matapan era un inviato del despota del sonno, e se loro lo seguivano lui li avrebbe portati in salvo nella fortezza di Boro. E subito dopo tutti quanti hanno cominciato a sentire che i loro piedi si spostavano in modo insolito, come se fossero liberi di andare dappertutto, ma non più in cerca del loro *ta*; e stavano camminando dentro la visione d'uno spazio immenso, dove sopra le loro teste c'era la luna piena e lì vicino una nube di ceneri cosmiche che cadevano giù lentamente sulle loro teste. Questa è la visione venuta in mente a tutti quelli nella biblioteca Lestoffen: visione che dopo era anche la visione di se stessi, cioè di loro stessi là incolonnati a camminare in quel cortile o campo di concentramento col filo spinato intorno, dove li aveva portati non si sa come re Matapan. Così è successo, e quando sono arrivati i mercenari dell'Onianti, Gamuna Valley era una città addormentata, in tutte le case, in tutte le strade.

13. *Pigo Monghi ha avuto la premonizione*

Pigo Monghi ha avuto una premonizione su quello che doveva succedere, ed è riuscito a salvarsi, riuscendo a tenersi in disparte e seguendo da lontano i deportati che marciavano dietro a re Matapan nelle regioni del sonno. Tutto questo poi l'ha scritto in un racconto. Erano i momenti finali del grande torneo calcistico; le squadre del Gamuna Football Club, della Società Sportiva Traumuna e della Società Sportiva Tsiuna, stavano per pareggiare il numero di goal fatti e ricevuti. Nel calcolo che i sapienti matematici della fortezza di Trai stavano facendo, si è profilato il numero di goal che, addizionati e sottratti e quindi moltiplicati per un numero fisso, davano la cifra annunciante la fine del regno di Boro. Voleva dire che appena finito quel conteggio sarebbe iniziato il banchetto mortale del despota del sonno, con 1000 invitati, e tutto sarebbe presto scoppiato con i loro corpi pieni di cibo, fino a oscurare la costellazione del Vitulé e coprire di ceneri tutto il territorio della vita. Nello stadio della fortezza di Trai il pubblico era fuori di sé dall'entusiasmo sportivo, perché ognuna delle tre squadre aveva fatto e subito 60 goal, e tutti volevano il sessantunesimo. La folla chiamava a gran voce il centravanti traumuna affinché compisse l'impresa; ma intanto una nube di ceneri ha preso a cadere sul campo, e subito le urla calcistiche non si distinguevano più da quelle di terrore. Tutti avevano visto in cielo la stella Panka apparsa sopra la costellazione del Vitulé, proprio secondo la profezia che annunciava la fine del regno di Boro al momento stesso d'apparizione di quella stella rossastra. Nello stadio di Trai c'è stato subito un unico urlo delle masse, che avevano avuto tutte insieme la visione della fine del regno del sonno, con un lamento che ora correva sulle gradinate scivolando di bocca in bocca.

14. *Dove va a parare questa storia*

Circa nello stesso momento in cui scoppiavano quelle urla nello stadio della fortezza di Trai, racconta Pigo Monghi, i 2600 Gamuna guidati da re Matapan entravano nel campo di concentramento trascinando i piedi, rassegnati a non essere più sulle piste del *ta*, ma anche spaventati perché solo adesso vedevano che il *ta* era il vasto incalcolabile degli spazi, e la lentezza infinita dei momenti; e spaventati perché vedevano il riposo della terra, ma loro non erano più dentro a quel riposo. Poi appena entrati nel campo col filo spinato e messi a marciare intorno a un altissimo fusto di catalpa (così alto che arrivava quasi alla punta della costellazione del Vitulé), subito usciva dalle loro gole un canto a bocca chiusa. Era un canto che si poteva udire solo con un'acuta sofferenza al petto, e si poteva capire solo attraverso le sue modulazioni mute, che Pigo ha tradotto così: "Non ci sarà mai più che questo – la vita era una fola – non ci sarà più che questo – finito il gran riposo – dillo a tutti: non ci sarà mai più che questo – questo campo col filo spinato sotto la luna". In seguito Pigo Monghi è venuto in Europa, e so che era a Parigi a raccontare storie, ma non mi è riuscito di vederlo.

FEBBRAIO
EPILOGO

1. *Da tre mesi non scrivo*

Da tre mesi non scrivo una riga; ho lasciato in sospeso anche il racconto di Pigo e non sono più capace di finirlo. Le parole non venivano più, inutile sforzarmi. In questi mesi non ho fatto che girare per le campagne, andare in città tre volte alla settimana, fare le mie lezioni di lingua a una ventina di studenti. Dopo le lezioni andavo al cinema, al tramonto tornavo a casa guidando lentamente sullo stradone di Caen, e mi fermavo a fare la spesa al supermercato Leclerc. Fermarmi da Leclerc era uno svago, soprattutto se potevo scambiare qualche parola con la cassiera dal volto affilato come la prua d'una nave, che sembra venire da altri tempi e parla un francese di campagna d'altri tempi. Tornando a casa ero contento che nessuno mi aspettasse; cercavo di evitare anche i signori Poussard perché non avevo voglia di parlare; poi accendevo la televisione senza l'audio e mi preparavo la cena. Intanto pensavo alla sorella Tran, ad Astafali, e gli altri. Ora di notte dormo poco, vago per le stanze; so che le parole si ritireranno presto, e tra poco tornerà la siccità di questi mesi, come avere un rubinetto otturato. In queste condizioni di stento, mi dico, ogni parola che mi viene fuori forse va presa come un fenomeno naturale, come gli altri fenomeni intermittenti che si affacciano mentre scrivo, il rumore della pioggia, lo scricchiolio del tavolo, lo spiffero della porta, le stelle invisibili sulle campagne vuote.

2. *Un bar a Falaise*

Adesso al mattino faccio una camminata fino a Falaise e vado a bere un caffè al bar *La Renaissance*, dove il padrone mi dà la mano e ci ripetiamo ogni giorno le stesse identiche frasi per cinque minuti. Verso le otto il pescivendolo apre le sue vetrine, la signora Gérard apre il cancello della banca, la bella signora Bonhomme si affaccia sulla porta della sua panetteria, e arrivano i braccianti disoccupati che devono subito stordirsi con un bicchiere di vino. Falaise è una cittadina come Gamuna Valley, con qualche migliaio d'abitanti e attraversabile a piedi in mezz'ora. L'incanto greve della terra si sente bene anche qui, come una musica di fondo senza eccitazioni né sorprese. Al mattino presto queste cittadine sono così disarmate nel loro tran tran, con strade ancora vuote nel silenzio assoluto, che qualsiasi invasore sarebbe incoraggiato a prenderle subito d'assalto. A quell'ora a Gamuna Valley le donne portano ai mercati le lattughe e i pezzi d'agnello, le noci di trepeu e i sacchi di granoturco; e così a Falaise alla stessa ora si vedono arrivare quelli delle campagne che portano galline, tacchini, oche, burro, uova, formaggi e altri prodotti nel mercato coperto. Come sta andando la vita si vede a quell'ora, quando i campagnoli arrivano in una specie di bruma leggera, e tutto è pacato e modesto, su un orizzonte largo che assorbe ogni novità.

3. *Grondego piomba su Gamuna Valley*

Le milizie del generale Grondego devono essere piombate verso l'alba nel quartiere dove abitava Astafali con la

Buabìa Sangìto. L'Hôtel Sémiramis dista poche centinaia di metri dalla grande avenue, e lì deve aver fatto irruzione un'altra pattuglia entrata per la Porta Sud. Il fotografo Salimbene e due avventurieri tedeschi sono riusciti a scappare scavalcando il muro in fondo al giardino; ma a quel punto si sentivano sparatorie in tutti i quartieri. Il giorno prima centinaia di mercenari dell'Onianti avevano attraversato a piedi il massiccio basaltico, attaccato i pastori nella brughiera, sparato in giro un po' a caso, poi s'erano messi a dormire in attesa di piombare sulla città. Sapevano che i Gamuna sono per lo più dei codardi, dunque erano sicuri di invadere con facilità il loro capoluogo, e non avevano dubbi che un massacro fosse la cosa più giusta da fare. Così, tranquilli e sorridenti, denti bianchi e occhiali rayban, nelle ore del dilucolo sono arrivati sull'avenue del centro e si sono sparpagliati nelle strade laterali, fino a trovarsi dietro al Sémiramis. Nella dépendance in fondo al giardino, Bonetti è stato sorpreso mentre scriveva un ultimo articolo, seduto al suo tavolo e immerso nei suoi pensieri.

4. *Perché l'irrimediabile sa sempre di imprevisto*

Davanti a palazzi che mi fanno pensare a una vecchia cittadina qui nei paraggi, con vecchi modelli di macchine abbandonate lungo i marciapiedi, si vedevano greggi di pecore e capre come crollate a terra dallo spavento. Neri maialini trok scappavano via scuotendo il sedere e si infilavano sotto le macchine con squittii lamentosi. Galli e galline erano rincorsi sui marciapiedi dagli addetti agli approvvigionamenti della truppa di Grondego, quattro pezzi di giovanotti che tenevano in mano enormi mestoli e correvano con pentole e frigoriferi portatili sulle spalle. Tra le altre soldataglie che sparavano al bestiame in fuga si distinguevano i Crociati del Muskadù, fanatici della Bibbia. Pochi giorni prima i Matuma del sud s'erano svegliati con l'idea di rivendicare i propri territori, costringendo il dittatore orbo Ughadai a venire a patti e spostarsi sveltamente verso ovest. Così è successo che le milizie dell'orbo hanno dovuto invadere sveltamente il Medio-Onianti, premendo sui mercenari di Grondego, i quali si sono dati alla fuga su per le pieghe del massiccio basaltico. Arrivati in cima però erano stati attaccati dai Crociati del Muskadù, i quali avevano posto l'alternativa: o tornavano indietro, o invadevano con loro il capoluogo gamuna e spartivano con loro il bottino. Ed eccoli insieme a sterminare gente e maialini trok, nel polverone di tutto quel che succede, nella baraonda di mille fatti capitati per caso, che all'improvviso un giorno hanno portato la rovina. Così l'irrimediabile sa sempre di imprevisto, perché nessuno vuole mai pensare che esista, e quando per una ragione qualsiasi arriva, è sempre inatteso.

5. *Bambini sconfiggono invasori*

Il grosso degli invasori dell'Onianti è entrato in città al tramonto ed è corso di casa in casa cercando lo scontro, ma senza trovare nessuno, nessuno vivo, immagino. Più tardi i mercenari si sono riuniti sull'avenue centrale, hanno cantato vittoria agitando le fiaccole nel buio e inneggiando al generale Grondego come comandante supremo di Gamuna Valley e dintorni. Ma qui improvvisamente sono stati attaccati da centinaia di bande di bambini mascherati, che irrompevano su di loro con tanta violenza da metterli in fuga, poi inseguendoli e assaltandoli ferocemente tra le dune di sabbia e tra gli arbusti della brughiera. Andando alla cieca nel buio, con le piccole lance, con le urla oscene e raccapriccianti, con la voglia di mostrarsi discendenti dell'eroe Tichi Duonghi, i piccoli delinquenti delle società segrete hanno vinto la guerra nel giro di un'ora. I mercenari si sono dati alla fuga e non torneranno mai più a farsi vivi, perché hanno preso i piccoli guerrieri per spaventosi spiriti bambini sorti da un inferno di anime cannibali. Anche loro nella rovina dunque, la soldataglia prezzolata dell'Onianti. Fine e disfatta del generale Grondego, ucciso nottetempo dalle sue truppe. Il dittatore orbo Ughadai si appresta a varcare il massiccio e invadere la cittadina gamuna per portare, dice, la legge dell'addomesticamento civile e della vita moderna obbligatoria (ma nelle periferie dell'interno corre voce che voglia restaurare il regno del sonno di Boro).

6. *Fuga di Salimbene*

Nel racconto sulla fine di Gamuna Valley, Pigo Monghi sostiene che adesso se ci si avvicina alla città da sud ovest, si può ancora sentire la confusione delle voci dell'ultimo giorno come un mormorio portato dal vento. Altri hanno sentito quei suoni, e uno è il fotografo Salimbene. All'ultimo momento Salimbene era saltato su un elicottero e s'era salvato assieme a due avventurieri tedeschi, ma tornato in patria ha cominciato a dare segni di squilibrio mentale. Non voleva più fotografare e diceva che quando la rovina scende sulle cose, il mondo diventa un altro mondo; anche gli uomini diventano un'altra specie d'uomini; persino le parole cominciano a spaccarsi, persino i sassi diventano malati. E diceva che quando la rovina scende sulle cose non ci sono più parole per dirlo; inutile anche fotografare; ci resta solto un mormorio di voci fievoli che passan nell'aria. Quel mormorio parla della forma sempre disfatta che avanza là fuori, nei resti di tutto, nei detriti dei muri crollati, nei magazzini di cose che nessuno vuole più, in ogni pezzo di roba che il vento disfa.

7. L'ultimo scritto di Bonetti

Proprio perché tutto a un certo punto precipita, ritrovandosi in una rovina sempre inattesa e repentina, Bonetti non è riuscito a scrivere il discorso per il libro fotografico su Gamuna Valley che aveva in mente. Resta una mezza pagina appena abbozzata che suona così: "Una città fantastica sembra rifletersi nell'acqua di un'oasi, e viene ai nostri occhi come ogni altra cosa che esiste. Noi andiamo in quella direzione perché abbiamo sete, vogliamo bere e riposarci all'ombra d'una palma. La città fantastica ci spinge a muoverci per raggiungerla come se fosse una vera oasi, anche se dopo scopriamo che era solo un miraggio. Ma come possiamo dire che non è nulla, visto che ci siamo mossi verso di lei? Se qualcuno pensasse che quel miraggio non è nulla, dovrebbe pensare che tutti i movimenti durante la giornata sono senza senso, benché ognuno cambi qualcosa nella nostra vita attraverso le visioni che andiamo inseguendo. E se l'incanto della vita è un fenomeno unico, allora ogni movimento lo trasforma per effetto delle visioni che ci spingono a spostarci continuamente, di qua e là nella conca del mondo".

8. Il bosco della Jalousie

Vicino a casa mia c'è un bosco chiamato della Jalousie, dove spesso vado a camminare di mattina, su una strada con l'asfalto a pezzi che lo attraversa. Intorno ci sono querce, cespugli di robinie, corvi che svolazzano. A volte sui sentieri laterali trovo un sorcio per terra, catturato da qualche gatto per fare esercizi da cacciatore, poi ucciso e lasciato lì. Tutti quei sentieri laterali sono pieni di rami secchi, foglie secche; e se ci si inoltra in uno di loro non si capisce mai dove porti. Portano tutti ad altri sentieri, sentieri di sentieri, dunque sembra che non vadano da nessuna parte. Se nessuno li usasse si chiuderebbero presto; invece qualcuno li usa, e perciò si riesce sempre a passare verso altri sentieri. A volte nel fitto, in mezzo a rovi ed erbe incestite, incontro un cacciatore o qualcuno che sta raccogliendo fascine. Ci si ferma, ci si saluta, poi cinque secondi di silenzio. Una battuta sul tempo che fa, qualche notizia sul rispettivo domicilio, e ognuno riprende il suo cammino. Sono così da queste parti, molto laconici. Chi parla troppo ha qualcosa da nascondere, dicono qui. Uscendo dalla macchia all'altro capo del bosco c'è un aggregato di baracche, fatte con muri prefabbricati di materiale grigio. Il terreno intorno sembra un posto dove abbiano scaricato delle merci in fretta, un magazzino all'aperto con badili, sacchi di cemento, attrezzi per la casa, stivali di gomma. Gli abitanti vengono sulla porta a guardarmi mentre passo; sono campagnoli che si distinguono per le masse facciali prominenti, le guance sempre rubizze. Le donne portano vestiti di cotonina a fiorami, gli uomini stivali di gomma e vecchie tute scolorite. Pare un accampamento d'emergenza per contadini fuggiti dalle loro case di pietra grigia, così buie e fredde e ataviche. Mentre ci passo davanti, all'uscita dal bosco, ho l'idea che sia un avamposto di sopravvissuti, e che qui intorno siamo tutti sopravvissuti, e che sto attraversando un'epoca scomparsa nel mattino che avanza.

9. *Saluto a Victor Astafali*

Ricordo Astafali quando ci siamo incontrati, entrambi studenti sui vent'anni. Ricordo la camera dove abitavamo a Cambridge, con il soffitto molto alto, i grandi finestroni, il freddo che faceva d'inverno, le coperte in cui ci avvolgevamo per studiare, il contatore del riscaldamento che funzionava infilando una moneta, e la porta della stanza che non chiudeva bene, lasciando sempre passare uno spiffero. Ricordo quando andavamo a Londra per incontrare due donne un po' sfiorite nella carne ma giovanili di carattere, che ci portavano a letto parlando con grande discrezione, e sempre più a bassa voce man mano che si entrava nei contatti intimi. Infine ricordo quando leggevamo la *Fenomenologia dello spirito* di Hegel, e non capivamo niente, pagina dopo pagina, neanche una riga, e però a un certo punto ci sembrava di aver afferrato un messaggio fondamentale che cambiava la nostra vita, e io non so quale fosse. Ma ormai tutto questo si sta allontanando, tutto si ritira, le parole e i pensieri, e Astafali non potrà più correggere le mie sviste in questo resoconto su Gamuna Valley. Qui l'inverno è freddo e magnifico, con lunghi tramonti pieni di colori, dove la luce comincia a ritirarsi al primo pomeriggio.

10. *L'uomo che scrive*

L'uomo che scrive in questo periodo dorme poco e ha la bocca tirata come per un risentimento. Invece non prova risentimenti verso nessuno, né rimpianti per quello che è successo nella sua vita. I suoi occhi sfuggono quando deve incontrare un'altra persona, come se volesse tenersi alla larga dai suoi simili, oppure come se non sapesse più cosa dire agli altri. Tutto questo è la conseguenza d'una vita malsana, perché da trent'anni scrive e legge tutto il giorno, fuma e pensa senza interruzione. I suoi occhi sono spenti e sconvolti, la sua mente si è fissata sui racconti da scrivere; il che del resto pare che lo soddisfi abbastanza da tenerlo sempre attivo. Però negli ultimi tempi deve scrivere nella stanchezza, perché non riesce a dormire, e deve scrivere nell'incertezza, perché le parole si stanno ritirando da lui. Sono le due cose che hanno afflitto anche la sorella Tran: la stanchezza di non dormire e l'incertezza di essere quasi senza parole, con frasi sempre più balbuzienti, gli aggettivi quasi dimenticati, i sostantivi ridotti all'osso. Poi tutto si è placato, e lei non scriveva più, non faceva che rileggere i propri diari, e li leggeva anche all'uomo che scrive, quando ogni mese lui andava a trovarla con il battello attraverso la Manica.

11. *I diari scritti con inchiostro turchino*

In realtà alla sorella Tran la parola si era già ritirata dall'epoca del suo ritorno in Europa; dunque quando l'uomo che scrive andava a trovarla non potevano dirsi niente; ma lei poteva leggergli i propri diari senza alcuna balbuzie, questo era il miracolo. Lo aspettava sulla porta di quella villa avvolta dall'edera, poi si sedeva al tavolo di vimini in giardino, su cui erano appoggiati i quaderni dei suoi diari. L'uomo che scrive ogni volta la ascoltava leggere per un'ora, a momenti con qualche inceppo nella voce, ma soltanto perché qua e là decifrava a fatica la propria minuta calligrafia con inchiostro turchino. Poi lei gli permetteva di trascrivere qualche brano, rimanendo a guardarlo in silenzio dalla poltrona di vimini. Infine veniva qualcuno per ricondurla in camera, e la sorella Tran portava con sé i propri diari, stretti al petto, l'unica cosa a cui teneva in quel posto troppo sicuro e tranquillo. I suoi diari non avevano nessuno scopo, se non quello di seguire i pensieri e tenerle compagnia, ma lasciandola nella sua solitudine più di qualsiasi persona. Chiunque le avrebbe fatto provare l'imbarazzo della sua balbuzie, perché le parole si stavano ritirando in lei già al tempo di quei diari; ma io direi anche prima, probabilmente fin da prima di imbarcarsi come suora missionaria per un altro continente. E lei nella balbuzie poteva seguire il corso dei propri pensieri soltanto scrivendoli, senza provare più imbarazzo mentre li scriveva.

12. *Saluto alla sorella Tran*

Dove la sorella Tran è nata, cresciuta, e come sia giunta ad imbarcarsi per un altro continente nei panni d'una suora missionaria, poi il suo ritorno in Europa e infine l'epilogo muto, potrebbe essere materia per un biografo in cerca di vite eccezionali. Ma io sono stanco di tutte queste vite eccezionali, stanco di questa materia per romanzi a cui si cerca di fare somigliare le nostre vite, e credo che la nostra sorella Tran avesse la stessa idea. L'unica immagine di lei che mi resta è una foto di quand'era ragazza, con sua sorella: foto scattata sulle alture di Highgate, a Londra, dove le due sorelle vietnamite sono indistinguibili, due turiste piccole e con la faccia tonda, dagli identici occhiali con montatura rossa. Durante le passeggiate pomeridiane, qualche volta ritrovo il sentimento dei nostri ultimi incontri, quando annotavo le parole lette nei suoi diari mentre lei mi osservava un po' assente. Ed era pensando a lei che ogni giorno mi mettevo a scrivere, e trovavo la voglia di lunghi vagabondaggi nelle campagne, per riflettere su quello che avevo scritto. Tutto questo seguiva una corrente di pensieri e abitudini, orientati dall'attesa del momento in cui l'avrei rivista; e finalmente ogni mese arrivava il giorno in cui potevo avviarmi in macchina verso la costa, prendere il battello nella città di Dieppe, traversare la Manica, sbarcare a New Haven nel grigiore del cemento portuale, ritrovare lo stradone costiero verso Eastbourne, poi il cartello verso la provinciale che porta all'agglomerato di Polgate, girare a destra verso la strada che porta al villaggio campagnolo di Jivington, e qui inoltrarmi sul viale d'una vecchia villa coperta d'edera. Allora potevo vederla laggiù che mi aspettava, piccola, immobile, orientale ragazza sulla soglia d'una clinica per malattie nervose.

INDICE

Stampa Grafica Sipiel
Milano, febbraio 2005